中國美術全集

陶瓷器 一

全 國 百 佳 圖 书 出 版 單 位

時代出版傳媒股份有限公司

黃 山 書 社

☆ 國家出版基金項目

圖書在版編目（CIP）數據

中國美術全集·陶瓷器/金維諾總主編；李輝柄卷主編.—合肥：黃山書社，2010.6
ISBN 978-7-5461-1370-8

I.①中… II.①金… ②李… III.①美術—作品綜合集—中國—古代②古代陶瓷—中國—圖集 IV.①J121 ②K876.32

中國版本圖書館CIP數據核字（2010）第111985號

中國美術全集·陶瓷器

總　主　編：金維諾	卷　主　編：李輝柄	責任印製：李曉明
責任編輯：宋啓發	封面設計：蠹魚閣	責任校對：李　婷

出版發行：時代出版傳媒股份有限公司(http://www.press-mart.com)

　　　　　黃山書社(http://www.hsbook.cn)

　　　　　（合肥市翡翠路1118號出版傳媒廣場7層　郵編：230071　電話：3533762）

經　　銷：新華書店

印　　刷：北京雅昌彩色印刷有限公司

開本：889×1194　1/16　　印張：83.25　　字數：325千字　　圖片：2264幅
版次：2010年12月第1版　　印次：2010年12月第1次印刷
書號：ISBN 978-7-5461-1370-8　　　　　　　　定價：2400圓（全四冊）

凡　例

一、編　排

1.本書所選作品範圍爲中國人創作的、反映中國文化的美術品，也收錄了少量外國人創作的，在中外文化交流史上具有代表性的美術品，如唐代外來金銀器、清代傳教士郎世寧的繪畫作品等。

2.根據美術品的表現形式和質地，共分爲二十餘類，合爲卷軸畫、殿堂壁畫、墓室壁畫、石窟寺壁畫、畫像石畫像磚、年畫、岩畫版畫、竹木骨牙角雕琺瑯器、石窟寺雕塑、宗教雕塑、墓葬及其他雕塑、書法、篆刻、青銅器、陶瓷器、漆器家具、玉器、金銀器玻璃器、紡織品、建築等二十卷，五十冊。另有總目錄一冊。

3.各卷前均有綜述性的序言，使讀者對相應類別美術品的起源、發展、鼎盛和衰落過程有一個較爲全面、宏觀的瞭解。

4.作品按時代先後排列。卷軸畫、書法和篆刻卷中的署名作品，按作者生年先後排列，佚名的一律置于同時期署名作品之後。摹本所放位置隨原作時間。

5.一些作品可以歸屬不同的分類，需要根據其特點、規模等情況有所取捨和側重，一般不重複收錄。如雕塑卷中不收錄玉器、金銀器、瓷器。當然，青銅器、陶器中有少數作品，歷來被視爲古代雕塑中的精品（如青銅器中的象尊、陶器中的人形罐等），則酌予兼收。

6.爲便于讀者瞭解大型美術品的全貌，墓室壁畫、紡織品等類別中部分作品增加了反映全貌或局部的示意圖。

二、時間問題

7.所選美術品的時間跨度爲新石器時代至公元1911年清王朝滅亡（建築類適當下延）。

8.遼、北宋、西夏、金、南宋等幾個政權的存在時間有相互重疊的情況，排列順序依各政權建國時間的先後。

9.新疆、西藏、雲南等邊疆地區的美術品，不能確知所屬王朝的（如新疆早期石窟寺），以公元紀年表示，可以確知其所屬王朝（如麴氏高昌、回鶻高昌、南詔國、大理國、高句麗、渤海國等）的，則將其列入相應的時間段中。

10.對于存在時間很短的過渡性政權，如新莽、南明、太平天國等，其間產生的作品亦列入相應的時間段中，政權名作爲作品時間注明。

11.某些政權（如先周、蒙古汗國、後金等）建國前的本民族作品，則按時間先後置于所立國作品序列中，如蒙古汗國的美術品放在元朝。

三、圖版説明

12.文字采用規範的繁體字。

13.對所選美術作品一般衹作客觀性的介紹，不作主觀性較强的評述。

14.所介紹内容包括所屬年代、外觀尺寸、形制特徵、内容簡介、現藏地等項，出土的作品儘量注明出土地點。由于資料缺乏或難以考索，部分作品的上述各項無法全部注明，則暫付闕如，以待知者。

四、目録及附録

15.爲了方便讀者查閲，目録與索引合并排印，在每一行中依次提供頁碼、作品名稱、所屬時間、出土發現地/作者、現藏地等信息。

16.爲體現美術作品發展的時空概念，每卷附有時代年表，個別卷附有分布圖，如石窟寺分布圖、墓室壁畫分布圖等。

五、其 他

17.古代地名一般附注對應的當代地名。當代地名的録入，以中華人民共和國國務院批準的2008年底全國縣級以上行政區劃爲依據。

18.古代作者生卒年、籍貫、履歷等情況，或有不同的説法，本書擇善而從，不作考辨。

中國美術全集總目

中國陶器發展概況及其主要成就

"陶瓷"是陶器和瓷器的合稱。儘管有時含混通用,但"陶"和"瓷"畢竟是兩個不同的概念,"陶器"與"瓷器"有各自的稱謂。瓷器是從陶器發展而來的,燒瓷是從燒陶技術基礎上發展出來的。當瓷器出現與發展起來以後,陶器還仍然繼續燒製。因此,陶與瓷既有淵源關係,又是各自先後向前發展的兩類器皿。隨着時間的推移,瓷器的生產與使用的範圍不斷地擴大,而陶器却逐漸縮小,表現出從陶器向瓷器發展的過程。

一、陶器的起源與發展

陶器是隨着原始畜牧業和農業的初步形成,先民們爲了滿足自己的定居生活需要而逐漸發展起來的。它是人類最早通過化學變化,將一種物質改變爲另一種物質的創造性活動,也是人類通過勞動改變天然物的一個重要開端。根據目前已發現的大量考古資料,綜合各地區的新石器時代陶器,可以明顯看出中國陶器的發展經歷了三個階段。從新石器時代早期文化的紅陶,發展到中期文化的彩陶,并繼續發展到晚期文化的黑陶與灰陶。紅陶是在氧化焰中燒成的,彩陶是紅陶的繼續發展,黑陶、灰陶則是在還原焰中燒成的。從氧化焰到還原焰,是燒陶技術的一大進步。考古資料表明,某一些地區或某一種文化階段的陶器發展,儘管存在着地域文化層次的差異,以及時代的先後不同等因素,但同樣經過了燒製技術從低級到高級這樣一個基本的發展序列,這是中國新石器時代陶器發展的一般規律。

陶器的產生,從工藝發展的角度上看,可能有一個從不燒到燒,也就是從"土器"到陶器的發展過程。正因爲這種沒有經過火燒的"土器"在漫長歲月裏不可能保存下來,所以,考古學資料無法加以證實。"土器"要經過火燒才能變成陶器,不難想象,人們在未認識火和掌握它的性能以前,陶器是不可能出現的。因此,陶器除用黏土製成"土器"(陶胚)外,燒成又是一個重要的條件。原始人又怎麼會知道把"土器"放入火中燒成爲陶器呢?火是在舊石器時代,就被人們所認識和利用的。人類從對野火的瞭解、控制,逐漸發展到人工摩擦取火。對火的利用不僅使人類擺脱了"茹毛飲血"的生活,還使人類在改造自然方面獲得了新的鬥争手段。先民們學會用火後,不可能不發現火坑內經過火燒後的土塊會變得更加堅硬,從而受到啓發,認識到黏土製成的容器,再經火燒,同樣會與火坑裏的土塊一樣更加堅硬。于是,將使用的"土器"放入火中焙燒,就成爲最初的燒陶實踐。從此一種新的，更加耐用，可以盛水或煮食物用的容器——陶器便出現了。

從古代陶器的造型上看，最初的陶器多模仿某些固有的器物，如根據籃筐製成的陶盆、陶罐以及仿葫蘆做成的陶瓶等等。從製法上看，都是手製和模製的，成型方法有以籃子爲外模，在内部塗泥製坯的，也有以籃子爲内模，在外面塗泥的。因此，在最早的陶器外面，都留有考古學者稱之爲"籃紋"的工藝痕迹。再從燒造上看，最初的陶器燒成溫度是很低的，從而可以瞭解到原始陶器不會是在窯内燒成的。在陶窯未出現以前，陶器可能就是在鋪在平地上的木柴、草秸上燒製的，所以陶器燒成的溫度很低。從科學的角度來説，把土器（陶胚）放入火中燒到一定溫度時，陶坯中的石英、雲母、長石等黏土礦物會產生化學反應，雖然生成的玻璃質很少，但這些玻璃質能把其他礦物黏結起來，這就是我們通常所稱的陶器。

1、紅陶——陶器發展的早期階段

中國最早的陶器是什麽樣子？現在還不十分清楚。近年來新發現的磁山文化、裴李崗文化屬新石器時代早期的遺存，其陶器全係紅陶，這也是中國目前發現的最早的陶器。儘管磁山、裴李崗文化所反映的生產水平已脱離了農業生產的初級階段，不能認爲是黃河流域農業文化的最早遺存，但即使有較之更早的陶器出土，也一定會是更爲原始的紅陶。因爲紅陶不僅是一種陶色的表現形式，而且是一種燒陶技術處于原始階段的標志。它是在氧化焰中燒成，也許開始就是在露天平地堆燒或在極爲簡陋的"陶窯"中燒成，由于空氣能充分流通而形成氧化反應，陶土中的鐵因而轉化爲三價鐵，陶器隨之呈現出紅色。

磁山位于河北省武安縣西南20公里，地處太行山脉與華北平原的交界處。裴李崗位于河南新鄭市城西75公里的裴李崗村。兩處的文化面貌不僅有頗多相似之處，而且據碳−14測定，年代均可上溯到公元前6000年以前。遺存中的陶器均爲紅陶，分泥質與夾砂兩種。製陶方法都是手製，胎體厚薄不均。花紋裝飾有篦紋、劃紋、乳釘紋等，器類有碗、鉢、罐、壺、鼎和三足器等。兩種文化的陶器，雖然在器形上有些不同，但在陶質、陶色上是一致的，成型方法和燒成溫度也基本相同。這表明其燒製水平大體相當，彼此間亦有較密切的關係。

新石器時代早期的文化遺存，在陝西寶鷄的北首嶺也有發現。經碳−14測定，也可上溯至公元前5800年以前。同樣，陶器也以紅陶爲主，分砂質紅褐陶與泥質紅陶兩種。均爲手製，器壁較薄。砂質陶一般以三足器爲多，有罐、杯等，普遍飾細繩紋、鋸齒紋、圓圈、圓點或半月形堆紋、成組排列的泥釘等。泥質陶一般以鉢形器爲主，紋飾中常有細密的剔刺紋。

2、彩陶——陶器發展的中期階段

彩陶是在紅陶的基礎上產生的。新石器時代中期文化的一個重要特徵就是彩陶的發展。考古資料表明，新石器時代中期文化遺址以黃河流域和長江流域最爲集中。仰韶文化、馬家窰文化、大汶口文化、大溪文化和馬家浜文化等遺址，都普遍發現了彩陶，其中以仰韶文化的彩陶最爲豐富。

彩陶是新石器時代早期磁山文化、裴李崗文化紅陶的繼續和發展，是社會經濟發展，人們生活水平和審美要求提高的必然產物。

（1）仰韶文化彩陶

仰韶文化因首先在河南澠池縣仰韶村發現而得名。其主要分布範圍包括陝西關中地區、河南大部分地區、山西南部、河北南部、甘青交界和河套地區、河北北部、湖北西北部。在這些範圍內的各個文化類型，彩陶均比較發達。仰韶文化陶器，一部分繼承早期夾砂紅陶與泥質紅陶的燒製，又在一部分較精緻的素面紅陶上加以彩繪，創造了彩陶。彩陶的圖案是在陶器未燒以前就畫上去的，燒成後彩紋就固定在陶器表面而不易脫落。光譜分析結果表明：赭紅彩中的主要着色元素是鐵；黑彩中的主要元素爲鐵和錳；白彩中除含有少量的鐵外，基本上沒有着色劑。由此可知，赭紅彩料可能就是赭石，黑色彩料出自一種含鐵很高的紅土，白色彩料則可能出自一種配熔劑的瓷土。

彩陶藝術是仰韶文化的一項卓越成就，據測定它的燒成溫度爲900—1000度左右。彩繪以黑色爲主，兼用紅色。有的地區（豫西一帶）在彩繪之前，先塗上一層白色的陶衣作爲襯底，以便彩繪出來的花紋更爲顯明。紋飾主要是花卉圖案和幾何形圖案，也有少數繪動物紋。器類非常豐富，有杯、鉢、碗、盆、罐、瓶、甑、釜等，其中以小口尖底瓶最爲突出。

關中地區、河南西部與山西南部爲彩陶文化的中心地區，其中又有西安半坡、河南陝縣廟底溝、山西芮城西王村三個不同類型。它們都燒製泥質紅陶與夾砂紅陶。半坡類型彩陶不多，但全部在紅陶上以黑彩繪製。廟底溝類型彩陶多於半坡類型，雖常以黑色彩繪，但有少數兼用紅彩，并出現了帶白色陶衣的彩陶。西王村類型彩陶數量不及廟底溝，但用彩上有自己的特色，有紅地紅彩和紅地粉白彩兩種。其紋飾題材，半坡有動物形象，基本紋飾是魚紋和變形魚紋，如人面魚紋、寫實魚紋、圖案化魚紋，還有鹿紋和波折紋等。廟底溝類型主要是條紋、渦紋、圓點紋和方格紋、蛙紋、鳥形紋等，與半坡類型風格完全不同。西王村類型則以條紋、圓點和波折紋爲主。在器類上，半坡以魚形紋彩陶大盆和葫蘆口尖底瓶爲代表，廟底溝以鳥形花紋與植物花紋圖案的彩陶盆、雙唇小口尖底瓶爲特點，西王村以敞口長頸尖底瓶、斂口深腹大平底罐爲主要特徵。

這三種類型雖然均屬于仰韶文化，但根據遺址的地層情況與碳－14測定的年代依據，半坡類型早于廟底溝類型，廟底溝類型又要早于西王村類型。它們正處在不僅繼續燒製紅陶，而且已進入大量燒製彩陶的發展新階段，尤以廟底溝類型的彩陶最爲豐富。

彩陶是仰韶文化最具代表性的成就之一，從上述各文化類型的彩陶上看，早期均以紅陶黑彩爲主，中期以後在局部地區盛行飾加白衣、黃衣或紅衣爲底，然後繪以黑、棕、紅色單彩或雙彩的做法，以達到熱烈奔放的藝術效果。

（2）大汶口文化彩陶

大汶口文化主要分布在魯中南及東南丘陵地區和江蘇淮北一帶。在膠東半島、魯西平原東側皖北，以及河南中部的某些地區也發現了一些大汶口文化遺址，或包含有大汶口文化因素的原始文化遺址。根據碳－14測定的年代，大汶口文化處于公元前4300年至公元前2400年間。以墓葬陶器組合及形制變化爲依據，可以劃爲早、中、晚三期。

早期彩陶祇有簡單的帶狀紅、黑彩，稍後流行一種與河南地區仰韶文化類似的圓點鉤葉紋、花瓣紋和角星形紋，有白色陶衣、紅色陶衣和雙色彩陶，器型多爲盆、鉢、罐、觚形器等。中期彩陶紋飾以黑色波折綫間以斜方格紋組成的帶狀花紋爲主，稍後流行一種簡樸的紅色圓點紋，多以旋渦紋爲主，典型器物有無腹肥大袋足鬶、背壺、臺坐折腹豆等。

（3）馬家窯文化彩陶

馬家窯文化主要分布于甘肅和青海的東北部，而以洮河、大復河和湟水的中下游爲中心。根據地層疊壓關係以及碳－14測定結果，可分爲石嶺下、馬家窯、半山、馬廠四個不同類型。

石嶺下類型分布在渭河上游及其支流，其中心地區在天水、武山一帶。馬家窯類型東從涇、渭河上游，西至黃河的龍羊峽附近，北從寧夏入清水河流域，南達四川岷江流域汶川縣地區。兩種文化類型的陶器均以泥質紅陶與夾砂紅陶爲主，其次爲泥質灰陶。石嶺下彩陶底色爲磚紅色，以黑色彩繪爲主，花紋有幾何形和動物形兩種。馬家窯彩陶底色呈橙黃色，少數呈磚紅色，多爲單一的黑色描繪，施在器表的局部或全部，有的還施在器物內壁。紋飾以幾何形圖案爲主，動物、人像紋爲輔。

半山類型主要分布在黃河上游及其支流湟水、洮河、莊浪河流域，渭河上游的天水、武山一帶。馬廠類型的分布地區基本與半山相同，唯西北部延伸範圍較廣。半山、馬廠兩個類型的彩陶相當發達。半山多以黑紅相間的鋸齒形花紋爲母題，勾畫出各種色彩鮮明、形式多變的圖案，主要有葫蘆形內填網格紋和連渦紋等。彩繪既施于器外，也施于器內。器類主要有小口細頸壺、貫耳壺、淺腹盆和雙耳罐等。馬廠類型彩陶上半身普遍施有一層紅色或紫紅色陶衣，彩繪以黑彩爲主，也有黑、紅二色兼用的，紋飾有幾何形圖案、人像、人面紋和蛙紋等，器類有壺、雙耳罐、長頸葫蘆形罐、小口垂腹罐、豆、瓮和人像形陶壺等。

（4）大溪文化彩陶

大溪文化遺址分布在四川東部，湖北西部、中部，湖南北部洞庭湖周圍地區，據碳−14測定年代爲公元前3800年至公元前2400年。其陶器以紅陶爲主，次爲灰陶和黑陶。彩陶數量不多，一般是泥質紅陶上先塗紅衣再畫黑，也有橙黃陶繪黑彩或赭彩的，并有極少白衣上繪黑彩或紅彩的。紋飾常見的是絞絲紋和平行帶紋中夾橫人字形，其他還有菱形格紋、短條變形絞絲紋、變體回紋、變體旋渦紋和穀穗紋等。主要器類有釜、鼎、豆、碗、盤、罐和壺，以及高領平肩長直腹瓶、筒形瓶和蛋殼彩陶單耳杯等。

（5）屈家嶺文化彩陶

屈家嶺文化主要分布在湖北省，以京山屈家嶺爲代表，碳−14測定年代爲公元前2550至公元前2195年，可分早、晚兩期。早期黑陶多，灰陶次之，黃陶和紅陶較少。彩陶多半是在泥質紅陶上施紅衣或白衣，畫黑色平行條紋、網紋、圓點紋和弧形三角紋等。晚期以灰陶較多，黑陶次之，餘爲黃陶與紅陶，仍有少量彩陶。一般爲泥質黃陶均飾橙紅、灰色或黑色陶衣，彩紋多用黑色，少數爲橙黃或紅色。彩紋的組合比較豐富多彩，主要有弦紋與菱形相交的格紋，平行方格內加以小方框、橫排方格內分嵌卵點組成的菱形方格紋，寬窄的帶紋、條紋內外排列圓點，橫條紋下掛垂幛紋等。彩陶上的陶衣除少數單色外，多數是兩三色兼施的，也有兩層陶衣重叠的，這在其他原始文化彩陶中未見。

（6）其他文化彩陶

浙江河姆渡文化、馬家浜文化、良渚文化、福建閩侯曇石文化，臺灣高雄鳳鼻頭文化，遼寧赤峰的紅山文化，以及西藏昌都卡若文化等都發現有彩陶。其中應當提及的是河姆渡文化的彩陶很別致，在印有繩紋的夾炭黑陶上施一層較厚的灰白色土，然後表面磨光，繪以咖啡色和黑褐色的變體動植物花紋，具有獨特的風格。馬家浜文化以夾砂紅陶爲主，并有部分泥質紅陶、灰陶以及少數的黑陶，偶見彩陶。與馬家浜文化不完全相同的是南京北陰陽營下層墓葬出土的彩陶，紋飾多用紅、黑兩色繪製，有的在施白色或紅色的陶衣上，繪以紅、黑色或深紅色彩，花紋比較簡單。早期良渚文化彩陶，表面施粉紅色陶衣，繪以紅褐色旋紋，或施紅色陶衣繪以黑褐色斜方格紋。曇石文化下層以粗紅陶爲主，中層粗灰陶占優勢。彩陶用紅彩或黑彩繪成點、綫和雷紋等，上層的陶紡輪上的彩紋往往與屈家嶺文化有類似之處。昌都卡若文化的彩陶又似甘肅地區的馬家窰文化。紅山文化是北方諸地區新石器時代文化中較重要的文化，它的分布北起昭烏達盟的烏爾吉木淪河流域，南到朝陽、凌源、河北北部，東至哲里木盟、錦州地區。陶器有泥質紅陶、夾砂褐色陶兩種。彩陶均是在泥質紅陶上施彩，花紋有平行綫紋、平行斜綫紋、三角形紋或平行斜綫組成的三角形紋、菱形紋、鱗形紋和渦紋等，年代可能與仰韶文化的中、晚期相當。

上述各地區各種文化，雖然由于年代的不同，進入彩陶階段時間有早有晚，燒陶技術也有高有低，但在彩陶未出現以前均是燒紅陶的，而在彩陶出現以後也還繼續燒製紅陶。

3、黑、灰陶——陶器發展的晚期階段

灰陶的大量生產，標志着製陶技術的重大進步。從磁山、裴李崗文化的紅陶，到以仰韶文化爲代表的彩陶，大約經歷了三、四千年的發展。彩陶較之以前的紅陶，在選料加工、器物成形以及燒製等方面，雖然有了很大的改進，但它們都是在以氧化焰爲主的環境中燒製而成的。儘管在一些較早的遺址中也出現過"灰陶"以及橙紅、紅褐等不同色調的陶器，但這并不能説是燒陶進步的表現。相反，正如考古工作者所謂的"陶色不純"，是這種原始燒陶水平低下必然產生的結果。灰陶在新石器時代晚期遺址中的普遍存在，説明在燒陶技術上從燒氧化焰發展到了燒還原焰的新階段。窯爐的改進和燒窯技術的提高，是這一轉變的關鍵。製陶技術從手製發展到輪製，又是一個重大的發展。薄如蛋殼的陶器即俗稱"蛋殼陶"的出現，正反映了這一階段陶器燒造的重大成就。

中國新石器時代晚期文化遺存的代表，在黃河流域有繼仰韶文化而興起的龍山文化。龍山文化因最早在山東章丘龍山鎮城子崖發現而得名，後來在河南、陝西、山西也陸續發現了類似的遺存，故分別稱爲河南龍山文化、陝西龍山文化和陶寺類型。同時，又在河南發現了具有仰韶文化向龍山文化過渡性質的文化——廟底溝二期文化。因它以龍山文化爲主要特徵，故屬于早期龍山文化。山東龍山文化與大汶口文化的分布範圍大體一致，有上下疊壓的地層關係和許多前後承襲的共同的文化因素，從而證明了山東龍山文化是從大汶口文化發展而來的。

（1）黃河中游的龍山文化

主要分布在陝西、河南、山西南部、河北南部和安徽西北部等地，分前後兩個階段。前期爲廟底溝二期文化，後期有河南龍山文化、陝西龍山文化及陶寺類型。

廟底溝二期文化位于河南陝縣東南青龍澗廟底溝，碳–14測定年代爲公元前

2780年。陶器以泥質灰陶和夾砂灰陶爲主，有一部分細泥黑陶及少量蛋殼黑陶。器物的口沿部分是經慢輪修整的，陶器除素面外，多飾以籃紋，其次爲繩紋與附加堆紋，方格紋極少，還有鏤孔及彩繪等。彩陶極爲少見。

河南龍山文化的碳-14測定年代約在公元前2600年。根據分布地區不同，分爲王灣、後岡、王油房、三里橋、下王崗等五個類型。陶器均以灰陶爲主，也有少數的紅陶和黑陶。使用輪製技術，裝飾以繩紋、籃紋、方格紋及附加堆紋，鼎、鬲、斝、鬶、甗、深腹罐、杯、盆及碗等是常見的器形。王灣類型陶器最具典型性。三里橋類型由于分布于陝西龍山文化和河南龍山文化接壤地帶，其陶器既有王灣類型的器形，又有陝西龍山文化器形特徵，還有較多的屈家嶺文化因素。

陝西龍山文化主要分布在陝西渭河流域，年代與河南龍山文化相當。陶器主要是灰陶，也有一定數量的紅陶。紋飾以繩紋、籃紋爲主，方格紋較少見，偶見有彩陶。常見器形有單柄鬲、罐形斝及繩紋大口罐等炊器，還有單雙及三繫的罐、豆及小口高領折肩瓮等。鼎、鬶、盉等數量較少。其中有些器物如大口雙繫罐，小雙繫罐與齊家文化相近似，鼎等則與河南龍山文化比較近似，這也是陝西龍山文化陶器的一個特徵。

龍山文化的陶寺類型位于山西襄汾東北約7.5公里，地處汾河東岸，其年代爲公元前2440年。它是一種與河南龍山文化、陝西龍山文化有着某種相似之處而又具獨特文化特徵的遺址，故稱之爲"陶寺類型"，陶器以灰陶爲主，有少量的黃褐陶及磨光黑陶。早期陶器胎厚，器形有釜、竈、鼎、斝、罐、瓮和壺等，以繩紋爲主，次爲籃紋與方格紋。晚期陶器胎較薄，陶色較純，有鬲和甗等，紋飾以籃紋爲主，繩紋與方格紋較少。

（2）山東龍山文化

指山東章丘縣龍山鎮城子崖的典型龍山文化。城子崖類型與兩城鎮類型均采用快輪製法，燒製器物具有共同的特徵，如黑陶占有相當數量，陶器的類別、形制也大體相同。其中兩地磨光黑陶的造型和裝飾風格尤爲接近，不同的是城子崖灰陶比例大于兩城鎮，黑陶數量相對較少，"蛋殼陶"更爲少見。

屬于典型遺址的還有姚官莊、東海峪、三里河、呈子四處，可分爲早、中、晚三期。早期以呈子爲代表，灰陶略多于黑陶，多數爲輪製。中期以三里河爲代表，黑陶、灰陶在數量上各占一半。晚期以姚官莊的主要遺址爲代表，以黑陶爲多，灰陶祇占少數，快輪也普遍使用。

黃河中游龍山文化陶器，以灰陶、繩紋、籃紋及方格紋爲其特徵。山東龍山文化陶器，則以黑陶、"蛋殼陶"爲主要代表。儘管前者由仰韶文化發展而來，後者是大汶口文化的繼續，但都屬于新石器時代晚期的龍山文化，陶器均爲灰陶階段。龍山文化灰陶，較之仰韶文化彩陶有了很大的發展，表現在陶窯結構的改進和燒窯溫度的提高，有利于停火後封窯，使陶胎的鐵氧化物在還原環境中轉化爲二價鐵而呈現出灰色。輪製技術的運用，則使器壁薄而均勻，器形更爲規整。

二、製陶工藝成就

陶器是社會發展到一定階段的產物，與一定的生產活動和技術水平相聯繫。新石器時代文化的經濟以農業爲主，人們過着定居生活，這是陶器產生與發展的社會物質基礎。

中原是中國新石時代製陶最發達、水平最高的地區，從手製、慢輪修整過渡到輪製陶器，以這一地區爲最早。當黃河流域出現輪製以後，長江流域及其以南許多地區還大都停留在手製階段。在陶窯結構的改進、提高燒窯溫渡上，也表現出較大的差异。磁山文化、裴李崗文化的陶器燒成溫渡已達830-950度，仰韶文化和龍山文化則達到了900-1000度，甚至1050度以上。而長江流域的河姆渡文化、馬家浜文化、大溪文化和屈家嶺文化陶器的燒成溫度相對較低，大約在700-900度之間。至于廣泛分布于東南地區的江西、廣西、廣東、福建和臺灣一帶的新石器時代的陶器祇有680度。這説明它們很可能是在平地上堆燒出來的，要落後于黃河流域和長江流域。

陶器是人們學會把黏土製成各種形狀，經過火燒而成的器皿。換句話説，陶器是黏土、火，以及人的活動共同作用的結果。爲了提高陶器的質量，首先需要對製陶原料進行加工，或者尋找新的、更適宜的原料。從中國新石器時代的陶器上看，黏土作爲製陶的原料一般是經過選擇與淘洗的，然後才用來成形製坯。這種經過選擇與淘洗的原料，一般用來製作精緻的食用器和儲藏器。有的還根據用途的不同而對原料進行加工，有意識地加入砂子、貝殼末和草秸末一類的羼和料，爲的是改變原料的性質，除便于成形外，還具有燒造過程中不易變形和燒裂、燒成後能够耐高熱而不破裂的功能。因此，考古工作者一般將陶器的原料區分爲泥質和夾砂兩大類。

早期磁山、裴李崗文化的陶器，儘管都具有一定的原始性，但也有泥質與夾砂之分，可見當時已對製陶原料的性能有了較多的認識，并在一定程度上掌握了對原料加砂等以改變其性能的方法。繼之是仰韶文化的彩陶，陶質較前有很大進步，原料一般經過精緻的淘洗，所以陶質細膩，器壁也較薄。根據器物不同的用途，有加入羼和料的，也有的原料不經加工就直接用來製作陶器的。龍山文化的製陶水平又有新發展，僅從原料上説，除對原有的原料進行淘洗和加工外，還找到了一種白色的黏土（瓷土），并用它燒出了胎質呈白色的"白陶"。這種"白陶"，在黃河中上游部分龍山文化遺址、大汶口遺址以及長江中下游和福建等地的部分新石器時代晚期遺址中均有發現。其原料已經不是一般的黏土，經化驗證明是用一種瓷土或者不很純的瓷土燒成的。化學組織已接近瓷器，祇不過燒結程度較差而已，所以考古工作者仍將它歸入陶器的範疇。但是，瓷土的發現和使用，不僅在製陶原料上是個大的突破，而且爲中國瓷器的出現創造了必要的條件。

製陶原料加工水平的提高和新原料的發現，要求燒窯溫度也要相應的提高。提高窯溫的條件，除了改善燒窯所用的燃料外，關鍵在于窯爐結構的改進。陶窯的出現是燒陶技術的一大革命，在此之前陶器很可能就是在平地上堆燒出來的，即在平地上先鋪一層木柴和草之類的燃料，上面放置陶坯，周圍再堆燃料燒製。這種方法不僅燃料消耗很大，而且溫度不高，一般祇能達到500-600度（生燒），燒成的陶器容易破碎，吸水率也高。爲了改變這種狀況，人們在平地"堆燒"的基礎上發明了"封燒"，就是在堆好了的燃料上面及周圍再封上一層泥，頂部和周圍留下氣孔，這樣既能提高燒造的溫度，也可以節省燃料，燒造溫度可達800度左右。磁山、裴李崗文化的橫穴陶窯，可能就是在此基礎上發展起來的原始陶窯。燒成溫度達到了900-960度。

到目前爲止，仰韶文化陶窯遺址已發現二十餘處，約有窯址六十多座。窯的結構可以分爲橫穴窯與竪穴窯兩類，其中以橫穴窯較爲普遍。橫穴窯的火膛（燒柴的地方）位于窯室（放置陶器的地方）的前方，是一個略呈穹形的筒狀甬道，後部有三條大火道傾斜而上，火焰由此通過火眼以達窯室。窯室平面略呈圓形，直徑約1米左右，窯壁上部往裏收縮。火眼均勻，分布于窯室四周，靠火道近的火眼都較小，遠的則較大。仰韶文化陶器燒成溫度一般都高達900-1000度，説明較裴李崗文化前進了一大步。

龍山文化的窯址已發現十餘處，共有陶窯二十餘處。這些陶窯均爲竪穴結構，仰韶文化時期較爲流行的橫穴窯基本上爲竪穴窯所代替。竪穴窯是一種較爲進步的形式，窯室位于火膛之上，火膛上小下大，窯室底部與火膛口相連，中間以窯箅隔開。火通過窯箅（上面有火眼若干）進入窯室，火力較無窯箅的橫穴窯均勻，所以陶器受熱也比較均勻，而不致出現裂紋現象。由于窯爐結構的進一步改進，以密封方法燒製的溫度大爲提高，龍山文化"白陶"和東南地區新石器時代晚期的"印紋硬陶"，燒成溫度甚至達到了1100度以上。

提高陶器的質量，製坯也是一個重要方面。考古資料證明，最初的製陶方法爲手製，成形有捏製與泥條盤築兩種。小件器物直接用手捏成，大件器物則多采用泥條盤築法。

裴李崗文化陶器都屬于手製，因爲技術還不很高，所以器壁厚薄不均，帶有一定的原始性。仰韶文化陶器基本上也是手製，但成形技術較裴李崗文化大爲進步。其陶器胎壁一般較薄，而且均匀，在一些陶器上還發現有弦紋，口沿上常留有經慢輪修整的痕迹，可見這時已經有了初級形式的陶車了。這種現象雖然在早期龍山文化陶器上更爲普遍，但它的成形方法，仍然以手製爲主，慢輪修飾爲輔。輪製成形的普遍運用，恐怕要到龍山文化晚期。輪製技術在這一時期已經十分發達，特别是山東龍山文化中的黑陶，坯體薄如蛋殼，形制規整，器類豐富，充分説明輪製成形技術已經達到很高水平。

原料與燒成是陶瓷器形成的“二要素”。中國陶瓷發展的過程，就是對原料加工與不斷尋找新原料的過程，也是隨着製陶原料的提高而不斷改進陶窑結構、提高燒造温度的過程。成形技術的提高，即從手製逐步發展到輪製，使陶器既美觀又實用。這些成就爲後來瓷器的發明，奠定了物質與技術基礎。

李輝柄

中國瓷器發展概況及其主要成就

　　中國的陶瓷工藝具有優久的歷史和優良的傳統。我們的祖先在漫長的製陶生產實踐中，經過不斷改進和提高，發明了瓷器。瓷器的發明是中國人民對人類物質文明的一個重大貢獻，中國因而在世界上博得了"瓷國"的稱號。

一、原始青瓷的出現與青瓷的燒成

　　瓷器的發明與私有制的產生、奴隸制的出現有着密切的關係。因爲奴隸制使製陶業從農業中劃分出來，成爲一個獨立的手工業部門。這種專業化生產方式的形成，必然帶來製陶業的大發展，促進了瓷器的發明。考古資料表明，大約在公元前16世紀奴隸制社會形成的商代，在燒陶器的基礎上成功地燒成了"原始青瓷"。"原始青瓷"由于具備了陶器所沒有的優越性，決定了它的巨大生命力而很快發展起來。經過春秋、戰國、秦漢的發展，到了東漢時期（公元220年以前），青瓷燒製成功了。

　　商代原始青瓷胎質堅細，胎色灰白或白而略呈淺黃，少數爲灰綠色或淺褐色，火候一般高達1100-1200度以上，胎基本燒結，瓷化程度好，吸水性較弱，釉胎結合緊密，不易脫落。這些特徵表明它在本質上已達到了瓷器的標準。然而這些瓷器在胎色的白度和透明度上都還不夠，在原料與燒成上也還存在着一定的原始性，所以考古學家稱它爲"原始青瓷"。這個時期的產品，一部分模仿當時的青銅器，一部分是它的創新，紋飾與造型都很獨特。

　　真正的瓷器出現于東漢晚期。在這個時期，浙江、江蘇、江西、安徽、湖北、河南、河北、甘肅等地的墓葬中都出土了不少瓷器。經過化學分析，這些瓷器具有現代瓷器的特性，胎質堅硬，瓷化程度高，具有較高的白度與透明度，光澤瑩潤，吸水率低，與原始青瓷相比，已有了很大的發展。不僅如此，在浙江省境內的上虞、寧波還發現了東漢時期的窯址。把窯址出土的瓷片與墓葬出土的器物相對照，證明它是東漢的瓷窯。

　　東漢晚期的瓷器，通體施釉，釉料中含氧化鈣達25%以上，并且在還原焰中燒成，所以釉面富有光澤，淡雅清澈。這個時期是中國燒瓷工藝上的飛躍時期，然而它的產品仍然沿着原始青瓷的造型和裝飾風格，還未形成自己的藝術特色。

　　中國科學院上海硅酸鹽研究所曾對浙江東漢晚期小仙壇青瓷窯址出土瓷片標本作過測試與化驗工作，證明它們是在1200-1310度的高溫下燒成的，具有瓷質光澤、透光性較好和吸水率低的特點。器表通體施釉，其釉層比早期青瓷顯著增厚，因釉中含氧化鈣50%以上，并在還原焰中燒成，所以有着較强的光度，胎釉的結合緊密牢固。以小仙壇窯址出土的青瓷斜方格印紋片的研究爲例，它的二氧化二鐵和二氧化鈦的含量很低，分別爲1.64%和10.97%。燒成溫度已達1310度左右，胎已燒結，不吸水，顯氣孔率與吸水率分別爲0.62%和0.28%。透光性也較好，0.8毫米的薄片已可微透光。在顯微鏡下可見釉無殘留石英，其它結晶亦不多見，釉泡細而小，這就是造成瓷釉特別透明的原因。胎釉交界處可見多量的斜長石晶體自胎向釉而成的反應層，使得胎釉結合較好，無剝釉現象。釉的顯微結構可以反映它的燒成溫度是比較高的，而使得這種釉無論在外貌上或是顯微結構上都已擺脱了早期青瓷釉所帶有的原始性。

上述這些極爲重要的科學數據，更加嚴格而準確地表明，東漢晚期的青瓷除了二氧化鈦的含量較高，使瓷胎呈灰白色外，其餘均符合近代瓷器的標準。所以，把中國瓷器出現的時代定在東漢時期是有科學根據的。

二、青瓷的發展與白瓷的出現

東漢滅亡以後，中國就進入長期分裂割據的時代。因此，南方與北方在青瓷的發展方面很不平衡，北方青瓷的發展要晚于南方青瓷，在質量上大大不如南方青瓷，因此有"南方青瓷"與"北方青瓷"的區別，這是魏晉南北朝時期燒瓷狀況的主要特徵。

青瓷是中國瓷器的傳統品種之一，它的形成與發展幾乎貫穿在中國陶瓷發展的全部過程中。青瓷一般指的是瓷器表面施有青色釉的瓷器，它與黑、白瓷一樣，是從瓷器的釉色來稱謂的。然而，"青瓷"的科學含義并非如此，例如有些瓷器是青色的，但不一定就是青瓷，相反，有些瓷器是黃色或黃褐色的，却屬于青瓷的範疇。這是因爲"青瓷"色調的産生，主要是由于胎釉中含有一定數量的氧化鐵，并在高溫還原焰中燒製而成的。鐵經還原轉化成亞鐵狀態，亞鐵是一種强力的熔劑，而使釉呈現出青色。正因爲有些青瓷不是含鐵不純，就是還原環境不够充分，致使胎釉中的鐵分受到某種程度的氧化，釉的呈色就起了變化，由青色變爲黃色或黃褐色。這種情況不僅在商周時期的原始青瓷中有，就是在唐宋時期的青瓷中也是經常發生的。

白瓷與青瓷的區別，僅在于原料中含鐵量的不同，而在製瓷工序上并無差異。由于人們在長期的燒瓷實踐中，逐漸摸索出原料中的奧妙，他們有意識地減少胎、釉中氧化鐵的含量，如果含鐵量減少到1%以下時，就燒成了白瓷。又如果胎釉中含的是氧化銅，又是在氧化焰中燒成的，也能呈現出青色。但這種青色的瓷，由于它與青瓷在原料與燒成上均有重大差异，所以并不稱它爲青瓷。

南方青瓷的生產主要集中在浙江地區。現在上虞、紹興、寧波、鄞縣、蕭山、德清、餘杭、永嘉等縣市都發現了這個時期的窯址。僅上虞一地就有數十處。江浙一帶的墓葬出土了大量的青瓷器，尤其是南京地區。青瓷產品與人們的日常生活密切相關，青瓷胎質緻密，釉汁均匀地塗于器物表面，既實用又美觀。

浙江是中國青瓷的主要發祥地，又是六朝時期瓷器的主要產地，南方青瓷的生產主要集中在這一地區。燒窯遺址以上虞縣最爲集中，上虞地處杭州灣南岸，自然條件好，窯址背靠群山，瓷土蘊藏豐富，燃料充足，交通便利，是當時瓷器的生產中心。其遺址時代自三國至東晋、南朝均有發現，大部分都在曹娥江中游兩岸。燒製器物有鷄頭壺、四繫罐、香薰、唾壺、多格盤、虎子、硯臺、水注、耳杯、碗盤和洗等多種。此外，還有一些鷄籠、豬圈、竈等明器。青瓷的裝飾，西晋時以印花爲主，有弦紋、方格紋、菱形紋和網紋等，并組成條帶狀，裝飾在器物的肩部與腹部；東晋時，印花裝飾減少，多爲褐色斑點，主要裝飾在器物的口沿部位；南朝時期，受佛教的影響，刻劃蓮花瓣紋開始流行。

南方青瓷在浙江一帶墓葬中出土也極其豐富，包括吳、西晋、東晋和南朝等時期。早在上世紀30年代，浙江紹興曾發現一些黃龍、赤烏、永安、甘露、寶鼎、鳳凰、天册、天紀等年號的三國孫吳時代的墓葬，出土了一些青瓷，其中刻有吳"永安三年"（公元260年）的青瓷穀倉罐最爲有名。這件有紀年的器物提供了科學斷代實物依據，使我們目睹了這個時期中國青瓷的燒製水平。上世紀50年代以來，考古工作者又在南京、鎮江、太湖、揚州等地域的墓葬發掘出土了大量各個時期的青瓷，其中以南京爲最，因爲南京是六朝故都，出土的青瓷反映了南方青瓷不同時期的發展面貌及特徵。

除了上述江浙地區外，這時期的窯址與墓葬在江西、安徽、湖南、湖北以及四川、廣東、福建等地也有一些發現。其中重要的燒窯遺址有江西的豐城窯、安徽的淮南窯、湖南的湘陰窯以及四川的成都窯等。燒製器物的品種和裝飾與江浙地區相比，除了帶有本地區風格外，均具有共同的時代特徵。但值得提及的是，這些地區出土的青瓷與浙江的產品遠銷到江蘇南京地區的情況有所不同，它們是就地生產、就地銷售。湖北鄂城六朝墓出土的大批青瓷，儘管在造型上與上述地區大致相同，但在胎釉特徵上既不同于浙江，也有別于湖南而獨具風格。但它們的產地在哪裏呢？還有待將來的發現。

北方地區青瓷出現比較晚。迄今爲止，中原地區的魏末晋初的墓葬裏幾乎沒有發現瓷器。祇是到了北魏，這種狀況才有所改變。孝文帝遷都洛陽以後，瓷器的出土才逐漸增加。北齊時期，出土數量就迅速地上升了。北方的產品在造型、胎釉、紋飾等方面都與南方大不相同。

北方青瓷的生產主要集中在河南、河北兩省，但窯址發現不多。1929年，在河南安陽發現了仁壽三年（公元603年）的隋墓一座，由于墓中出土了幾件青瓷，北方青瓷的面貌才初步揭示出來。隨後在山東、河南、河北、陝西等地陸續出土不少隋代瓷器。1955年，在河北景縣發現了一座北齊封氏墓。特別重要的是該墓中出土了四件青瓷仰覆蓮花尊，尊的造型宏偉，整個器型以上覆下仰的蓮花組成，器身堆貼着飛天、寶相花、獸面及蟠龍等紋飾。胎體厚重，質地堅硬，釉色也極潤澤，是北方青瓷的代表作。近年來，平山崔昂墓、濮陽李雲墓等，又陸續出土了不少青瓷。

科學工作者對上述封氏墓出土的青瓷蓮花尊的化驗結果表明，它的胎釉的化學成分與南方越窯青瓷有明顯的差別，胎釉中所含氧化鋁較高，氧化硅和氧化鐵較低，而越窯則相反，表明它們是不相同的。河北景縣封氏墓出的這批青瓷應當是北方窯燒製的。

北方青瓷與南方青瓷在造型、胎釉、紋飾等方面均有所不同。北方青瓷的器型較大，尊、瓶、罐、鉢之類器物居多。胎體厚重，胎色灰白。釉較厚，玻璃質強，流動性大，因而常常在器物表面有玻璃質流珠現象。釉面往往有細密的開片，釉色青中微黃。器物多裝飾蓮花瓣紋和忍冬紋。裝飾方法有堆貼、模印和刻劃等。北方青瓷所具有的上述特徵，除了製瓷的原料外，還與佛教的盛行有着直接的關係。由于佛教的盛行，北方青瓷在造型、花紋裝飾風格上，打下了某些佛教文化的烙印，這也是與南方青瓷不同的一個社會原因。

白瓷的出現要晚于青瓷，是在青瓷的基礎上產生出來的。青瓷最先是在南方出現并發展起來的。但是，白瓷的燒成卻又首先發生在北方。北方爲了提高瓷的質量，彌補胎、釉不如南方青瓷的缺陷，常常要在胎上先施一層白色化妝土，然後罩釉入窯燒製。這樣做的目的，當然是爲了解決北方青瓷胎體不夠緻密，提高青瓷的呈色效果。然而，由于釉的玻璃質強，流動性大，并且有較高的透明度，因而罩在施過白色化妝土的瓷地上後就呈現出既非青瓷又非白瓷，而較接近于白瓷器的效果。如果再把釉中的含鐵量減少的話，無疑就燒成了白瓷。正因爲青瓷與白瓷的區別僅在于胎釉中含鐵量不同，其它一切工序并無差异，所以說，北方青瓷發展的同時，就孕育着白瓷的開始。從北魏晚期到清代，特別是北齊，是北方青瓷發展的鼎盛時期，也正因爲北齊製瓷技術的迅速提高，白瓷在這時出現就有了可能。考古工作者在河南安陽北齊武平六年（公元575年）范粹墓中，發現了一批北朝的白瓷。這批白瓷無論是胎釉的白度，燒成的硬度以及吸水率，均與青瓷不同而比較接近于白瓷。但由于它們的釉色仍呈乳濁的淡青色，僅釉薄處呈乳白色，可見白釉裏含鐵量還偏高，燒成火候也偏低，所以還沒有完全排除胎、釉中氧化鐵呈色的干擾。范粹墓出土的這批白瓷，雖然不盡成熟，却是目前發現有可靠紀年的早期白瓷，對研究與探討中國白瓷的起源具有重要意義。北方白瓷一出現便與青瓷并駕齊驅向前邁進。

三、白瓷的發展與"南青北白"的形成

隋唐時代，整個中國社會的經濟文化進入了高度發展的時期。陶瓷生產呈現出蓬蓬勃勃的新局面。隋代是個短命王朝，歷經兩代皇帝就滅亡了。但它是個統一的王朝，對于中國文化的發展起着重要的承上啓下的作用。在陶瓷燒製工藝上，它一方面融合了南、北方青瓷的特色，另一方面又有所創新。特別是白瓷的燒成，是隋代燒瓷的重大成就，它爲唐代白瓷的大發展奠定了基礎。

隋代青瓷的窯址發現不多，主要的有河北的磁縣窯、河南的安陽窯、安徽的淮南窯、江西的豐城窯、湖南的湘陰窯以及四川的成都窯。白瓷窯在河北的臨城與内邱縣發現幾處。

河南安陽窯與河北的磁縣窯兩窯燒製器物基本相同，都以燒四繫罐、高足盤、鉢形器與大口平底碗爲主。胎質厚重，呈灰白色，釉爲青釉或青中閃黃，透明玻璃質釉，釉面均有不同程度的流釉現象。器裏外施釉，器外施釉不到底。但兩窯在規模、燒製技術高低、產品的粗精上也有所不同，安陽窯生產規模爲最大，燒瓷品種亦多，除了日常生活用具外，還生產各種雕塑品與明器等。產品也較精緻，在許多器物上還附有花紋裝飾，代表了這時期北方青瓷燒製水平。

湖南湘陰窯燒製的器物比較豐富，在造型上也具有自己的特點，隋代各窯燒製的四繫罐也有它的獨創之處。湘陰窯的器物多重視裝飾，這也是一個較顯著的特點，紋飾以印花爲主，配以劃花的方法，并根據不同的器物巧妙地進行裝飾，高足盤中心部位的多層花紋裝飾，爲其它各窯所沒有。

安徽淮南窯，既不同于河北、河南，又與湖南湘陰窯有較大的區別，其四繫瓶最具特色，在其它各窯中都未被發現。裝飾方法有印花、貼花和劃花三種。在裝飾題材與構圖方法上與湖南湘陰窯稍有區別。

四川成都附近與邛崍縣一帶的瓷窯燒製器物均大致相同，也具有濃厚的地方色彩。器物的胎質較爲粗糙，胎色爲紫紅色，釉均較薄，不甚透明，器裏外施釉，外部施釉不到底。胎與釉之間普遍使用一層白色化妝土，這是四川成都等地瓷窯的一

個顯著的特徵。

白瓷雖然在北朝時期已露端倪，但真正燒製成功則在隋代。考古資料證明，隋代白瓷燒製技術已臻完善并達到了可觀的水平。在西安郊區發現的隋大業四年（公元606年）李靜訓墓出土的白瓷中，白瓷胎潔白，釉面光潤，釉已完全看不到白中閃黃或白中泛青的痕迹，可名正言順地稱作白瓷了。這些白瓷中，尤以龍柄雙連瓶和龍柄雞頭壺爲最佳。雙連瓶的造型奇特，製作精緻。龍柄雞頭壺雖是魏晉南北朝以來的傳統器形，但却換上了“白色的新裝”。

1982年，繼唐代河北邢窰窰址發現後，又在内邱與臨城交界處的賈村發現了隋代白瓷窰一處。隋代白瓷窰址在唐代邢窰範圍内發現，證明了在唐邢窰白瓷尚未出現以前，白瓷在這一地區已經發展起來。賈村隋代白瓷窰的發現，不僅填補了陶瓷考古方面隋代白瓷窰的空白，而且證明了隋代白瓷燒製技術已趨完善，并達到了較高水平。

唐代瓷器生産在隋代的基礎上，有了很大的發展。南方以燒製青瓷爲主，以浙江的越州窰爲代表。北方以燒製白瓷爲主，以河北的邢窰爲代表，形成了一個“南青”與“北白”并駕齊驅的格局，這是唐代瓷業發展的主要特徵。這種格局，直到五代時期，由于江西景德鎮燒出了白瓷才被打破。

唐代的文獻《茶經》記載，南方已涌現出了一批名氣很大的瓷窰，其中以浙江的越州窰居首，還有鼎州窰、婺州窰、岳州窰、壽州窰和洪州窰等。現在這些瓷窰，除鼎州窰外，都已找到了它們的燒造地點，有的瓷窰還進行了考古發掘。

越州窰位于浙江餘姚上林湖一帶。這個地區在唐時屬越州，因此有越州窰之名。上林湖是一條長形南北向的天然湖泊，窰址分布在它的東西兩岸。文獻上所謂的“秘色”瓷就是産自上林湖一帶。越窰瓷器的胎質細膩，釉層均匀，手感渾厚滋潤，正像《茶經》中所形容的“如冰似玉”，深得人們的喜愛。

唐代越窰瓷器雖以它的“千峰翠色”的釉色擅長，但器表也有少量的裝飾。花紋以劃花爲上，也有印花、刻花和鏤雕的。劃花綫條簡練，往往寥寥幾筆，就成一朵盛開的荷花，或是花朵舒展枝葉對稱的海棠花和四季花。印花多用于碗底裝飾，盤底等圓形的畫面，有雲龍、壽鶴和花卉等。

岳州窰位于湖南湘陰縣，因唐時屬岳州，因此叫岳州窰。產品胎薄，釉色明亮，多采用支釘燒法，底足滿釉。注重釉色，不帶裝飾。

壽州窰位于安徽淮南市田家庵區的上窰鎮。產品釉色青黄，胎質較粗。以黄釉爲主釉色，有蠟黄、鱔魚黄、黄綠以及鐵褐釉色等，釉厚薄不均，濃淡不一，胎有粗細兩類，胎色近白或白中微帶紅和絳紅等色釉。一般器物均先施一層白色化妝土，然後施釉入窯燒製而成。

洪州窯位于江西南昌附近的豐城縣，器物一般較爲粗糙，釉色以黃褐者居多。器形以碗杯爲主，瓷質粗糙，胎褐色或深褐色，一般器物施一層白色化妝土，然後上釉入窯燒製。釉呈黃褐色或醬色，與文獻記載的特徵相符。

婺州窯位于浙江的金華市。造型、釉色與越窯差不多，不同的是胎色較深，呈深灰或紫色，釉色青黃帶灰或泛紫，較越窯爲粗糙。

北方白瓷以邢窯爲代表。邢窯瓷素有"類銀"、"類雪"的美譽，燒造的白瓷質堅釉好，較之隋代白瓷是大大前進了一步。以後在邢窯的影響下，在河北的曲陽，河南鞏縣、密縣、登封和山西平定等地，又興起了一個規模不小的白瓷窯系統。

邢窯是唐代著名瓷窯之一，在中國陶瓷發展史上占有十分重要的地位。邢窯遺址先後在河北省臨城縣和内邱縣境内發現，然而根據李肇《國史補》"内邱白瓷甌"的記載，窯址的中心地區應爲内邱。

邢窯白瓷的主要特徵是"白如雪"，選用優質瓷土燒成，胎質堅實細膩，胎色潔白，釉質瑩潤，精者薄如蛋殼，透明性能極佳，當是以還原焰燒成。一般器物潔白光亮，有些器物則白中微微泛青。經科學工作者測定結果來看，它的白度太約在70度以上。胎中的氧化鉛、氧化鐵、氧化鈦與同時代其它瓷窯的白瓷相比，顯然是偏低的，這就決定了它的胎、釉的燒結度與白度均要超過一般的白瓷，與《茶經》"類雪"的記載相吻合。唐代後期，邢窯由于製瓷原料匱乏等原因，漸趨衰落。

定窯是在繼邢窯之後而發展起來的白瓷窯。窯址位于河北省曲陽縣的澗磁村和東西燕山村，因唐時地屬定州，故名定窯。定窯白瓷在造型、釉色上均可與邢窯匹敵。其釉色或爲潔白，或白中閃青。部分器型模仿邢窯，燒製的玉璧形底碗，在造型、釉色上與邢窯大致相同，但有泪痕。另一部分器皿的造型是着意模仿當時盛行的金銀器皿而又融合瓷器的特點而創造出來的，有各種碗、盤、杯等，一般胎體較薄，多采用花口、起棱、壓邊的做法。這類瓷器製作精細、造型優美，胎質潔白細膩。凡帶有"官"、"新官"款之定器，均屬此類，是這時期定窯的代表作品。

鞏縣窯位于河南省鞏縣的小黃冶、鐵匠爐村和白河鄉等地。燒製的白瓷在質量上不如邢窯、定窯好，釉色白或白中微微泛黃者居多。西安唐長安城的西市遺址及唐大明宮遺址出土的白瓷中，有鞏縣窯的產品。

除上述的邢窯、定窯、鞏縣窯外，還有河南的密縣窯、山西平定窯與渾源窯等，也都以燒白瓷爲主。正因爲有衆多瓷窯的出現與發展，在北方就形成了以邢窯爲代表的白瓷系統，并與南方青瓷形成對峙局面。

除上述南方青瓷與北方白瓷以外，唐代還燒出了一種"花瓷"。在唐代文獻中就有"魯山花瓷"的記載，近年在河南魯山縣發現了它的窯址。花瓷是一種黑色釉地帶乳白色，呈現出藍色針狀斑塊的瓷器，這是窯工們使用不同的氧化金屬原料，在還焰中燒成的。燒花瓷的窯除魯山窯外，在河南郟縣、黃道、禹縣的上白峪也有發現。"花瓷"的出現，是唐代陶瓷工藝又一大成就。燒製器物主要有各式壺、罐及拍鼓等。

南方的湖南長沙窯燒出了釉下彩瓷器。這是個新品種，是在岳州窯的基礎上燒製而成的。彩繪裝飾，從單一的褐彩逐漸發展到褐、綠兩種顏色，裝飾題材從斑點圖案發展到生物形態的寫實圖案，構圖簡潔，形態生動。它的主要特點是以褐彩或綠彩點綴出各種圖案和紋飾。

長沙窯瓷器的裝飾以釉下彩與模印貼花最具有特色，運用較多的有貼花、刻劃花、印花和鏤空等。貼花的部位多見于壺流、壺繫的下方及洗的腹部。紋飾有人物、嬰戲、雙鳥、雙魚、游龍、蝴蝶、立獅、荷花、葵花、葡萄以及各種圖案等。貼花之上往往施一層褐色斑塊來突出貼花的裝飾。刻劃花常用在瓶、壺等器上。鏤空多見于燭臺、熏爐的器蓋器座等部位。印花多用在盤、碗的內底中心與壺、罐的耳和柄上。

隨着唐代對外貿易的不斷擴大，長沙窯的外銷瓷的生產也隨之發展。爲了適應外銷需要，具有西亞、波斯風格的帶彩堆貼，如胡人樂舞圖，彩繪的椰林、葡萄以及飛鳥等圖案出現在瓷器上。這種現象說明長沙窯瓷器對外傳播的同時，也受到了外域文化的影響而愈加豐富多彩。長沙窯瓷器的外銷雖然晚于邢、越二窯，但由于長沙窯瓷器的造型和裝飾能適應銷往國的愛好和需要，所以後來居上，成爲中國早期外銷瓷中的佼佼者。

唐代的另一個重大的成就是風格獨特的三彩器。三彩器是一種低溫釉陶，用白色的黏土作胎，表面塗綠、赭、褐等色釉，類型比其他瓷器還豐富。它主要用于上層社會的墓葬，作殉葬明器之用。"唐三彩"始燒于唐高宗時期，唐開元、天寶年間（公元713–756年）是它的高峰時期，盛唐以後逐漸減少。晚唐以後的墓葬中幾乎沒有出土，而被瓷器所代替。

由于唐三彩主要作爲明器之用，它的出現與發展是唐代厚葬之風的產物。唐三彩雖是陶器，但與一般低溫陶不同，它的胎體用白色黏土製成（高嶺土），釉料利用數種金屬氧化物爲着色劑，主要有氧化銅（綠色）、氧化鐵（黃褐色）、氧化鈷（藍色）等，并用鉛作熔劑，利用鉛在燒製過程中的流動性，燒成黃、赭黃、翠綠、天藍、褐紅、茄紫等各種色調，斑斕絢麗，光彩奪目。它的燒製工藝是兩次燒成，先是在攝氏1100度左右的高溫下燒好素坯，然後在燒好的胎體上施釉，再以攝氏900度低温燒成。

　　唐三彩陶器可分爲三類，一類爲生活用器，如瓶、壺、罐等，一類是人俑和動物模型，再一類是模仿居室用具的各種明器。由于盛唐文化的發達，唐三彩的生産在品類、造型及裝飾風格上也受到文學、書畫、音樂、舞蹈、建築、雕塑等藝術的影響，成爲陶器藝術品中一支獨放异彩的奇葩。

　　五代十國時期的陶瓷生産是在唐代南北瓷窯的基礎上進行的。南方浙江越窯以及北方河北定窯是主要的燒瓷基地。這時期的瓷器從唐代的雍容渾厚發展到優美秀緻，這不僅是審美觀點的變化，也是工藝進步的反映。對製瓷原料的加工更爲精細，成型技術大大提高，裝燒技術改進并成功地控制窯爐還原氣氛，這些重要成就，均爲北宋製瓷工藝的發展打下了良好的技術與物質基礎。

四、"官窯"的建立與"民窯"的大發展

　　唐亡以後，中國經歷了一段短暫的分裂，至宋代再次統一。兩宋時期，社會經濟繁榮，商品生産的活躍程度高。這樣就促進了各方面的發展，當然也促進了瓷器生産的發展。全國各地如雨後春笋般地出現了大批的窯場。

　　宋代瓷窯有"官窯"、"民窯"之分。官窯是指由官府組織生産，滿足宮廷的日常生活需要。官窯瓷器嚴格按宮廷設計進行生産，在工藝上精益求精，不惜工本，産品屬于非商品性質，嚴禁民間使用。有些瓷窯雖是官辦，但不被宮廷控制，建窯就是爲了外銷和其它商業性生産，或者由于某些創造，被宮廷看中，才令它們燒製進貢瓷器。這些所謂官辦的窯場不能稱爲"官窯"。

　　"官窯"的生産是保密的，所以文獻記載不詳。它們一般生産規模小，燒造的時間也很短。由于産品嚴禁民間使用，因此在弃窯時，都要徹底毀掉不留痕迹，這也是不易發現它們窯址的一個原因。

　　北宋官窯有汝窯、鈞窯，南宋官窯則有修内司官窯和郊壇官窯。現在除了修内司官窯沒有發現以外，其它的都已找到了燒造地點并進行了發掘。

　　北宋官窯——汝窯

　　爲北宋後期官辦的瓷窯之一。經考古發掘，它的窯址位于河南省寶豐縣清凉寺村。該地在宋時屬汝州，故名汝窯。汝窯青瓷的胎質呈香灰色，釉色爲淡天青色，釉面瑩潤，無透明光澤，并多細碎的紋片。器物有盤、碗、洗、樽、碗托、瓶等。製作工藝精緻，圈足均外捲，底心滿釉，留有細小的支釘痕。

　　官汝窯的燒造歷史可作如下推斷：《筆衡》云："政和間，京師自置窯燒造，名曰官窯。"指明了官汝窯建立的上限在政和年間（公元1111–1118年）。又成書

于宣和六年（公元1124年）的《宣和奉使高麗圖經》内記有"汝州新窑器"之説，證明官汝窑建立距宣和六年不會太久。因爲而後不久便是"靖康之亂"，故而籠統言之，官汝窑的燒造史當是上起政和年間下至北宋滅亡的十餘年間。

北宋官窑——鈞窑

爲北宋時期的官窑之一，窑址在今河南省禹縣城内的鈞臺八卦洞。它專燒宫廷用的陳設瓷，産品有鼓釘洗、出戟尊以及各式花盆。釉色有玫瑰紫、海棠紅、月白等，製作極爲精緻。器底均刻有一至十的號碼字樣，具有濃郁的宫廷色彩。

官鈞窑是繼官汝窑之後建立的第二座北宋官窑。官鈞窑建立的時間與"花石綱"密切相關。《艮岳記》載：政和間遂即其地大興土木工役，築山號"壽山艮岳"。"花石綱"雖始崇寧、大觀年間（公元1102-1110年），但是推測當時祇是搜羅奇花異草運至汴京，并未建窑燒製器皿，考古工作者未獲得那時的遺物。現已獲得的遺物有，刻有漢字數碼的器物及刻有北宋宫殿名稱，如"奉華"等字樣的器物。這些資料顯然還不足以説明官鈞窑的明確年代。可喜的是，考古工作者在官鈞窑遺址中發現有"宣和元寶"鈞瓷錢模一件。"宣和"爲徽宗年號，由此可以確證，宣和年間（公元1119-1125年）爲鈞窑存燒年代。"花石綱"及内外製造局等至宣和七年（公元1125年）廢。官鈞窑燒造史的下限最遲當不會逾越此年。北宋之後，金人于宋文化禁錮甚嚴，其時決不可能出現上述官鈞瓷器。由此得知官鈞窑燒造史的上下限當在宣和（公元1119-1125年）的七年中，晚于官汝窑，并有一段與官汝窑并存的歷史。

南宋官窑——郊壇窑

根據文獻記載，南宋先有修内司窑，後有郊壇窑。前者尚未發現，後者已找到窑址。窑址位于杭州市烏龜山一帶。它的胎薄、釉厚，胎質細膩，胎色黑褐，釉色有粉青、青灰、青黄等幾種。製作極爲精細，器底滿釉，留有支釘痕，釉面潤澤，有開片。

郊壇官窑，顧名可知是在建壇以後建窑的，上承修内司。《宋史·高宗本紀》載："（紹興十三年）三月己亥，造鹵簿儀仗。乙巳，建稷壇。丙午，築圜丘。"那麽，郊壇官窑始建年代當晚于紹興十三年（公元1143年），但其下限年代尚缺文獻與考古資料佐證，故其燒造史姑定在紹興十三年稍後。

南宋官窑——修内司窑

近年來，對宋代官窑瓷器的研究，由于北宋的汝窑、鈞窑、南宋的郊壇官窑遺址陸續發現而有了較大的進展。對南宋的修内司官窑的研究，因缺乏窑址印證與古文獻核實而衆説紛紜。因此，對修内司窑的性質及産品特徵的認識，也就含混不清了，有人甚至否定修内司窑的存在。

根據研究結果表明，南宋的修内司官窑是存在的，它的産品就是清宮舊藏的所謂的"傳世哥窑"瓷器。從它們的造型上看，是按宮廷需要設計的，如常見的三足爐、魚耳爐、乳釘五足爐、雙耳乳足爐、觶式瓶、膽式瓶等陳設禮器之類，儼然宮廷式樣。這充分説明，"傳世哥窑"爲燒製宮廷用瓷官辦瓷窑。實物與文獻記載的修内司官窑器印證相符。

由文獻可知，建修内司官窑爲權宜之舉，祇爲供應南宋建都前的祭典用瓷及宮中用瓷，其燒瓷史是短暫的。據宋史記載，紹興二年（公元1132年）置建修正局，主管土木營繕之事。修内司主管窑務當在此時。郊壇建于紹興十三年（公元1143年），故郊壇窑的建立最早當在紹興十三年以後，這也即是修内司窑之下限。據此推論，修内司窑的時代，當在紹興二年（公元1132年）至紹興十三年（公元1143年）之間及稍後的一段時期。

"民窑"瓷器的生產則與"官窑"相反，它們不受宮廷的任何束縛，工匠都來自民間，産品都是爲了滿足城鄉民衆的日常所需，因此很快得到了充分發展。燒瓷屬於商品生產，市場上銷路好的産品，社會所需要的産品，各窑都爭相生產，所以就出現了一窑創新，各窑模仿的局面。

這樣在南北方就形成了不同的窑系。北方的窑系有定窑、耀州窑、磁州窑、鈞窑，南方有越州窑、龍泉窑、景德鎮青白瓷窑與建窑系。

宋代北方民窑主要有下列四個：

定窑

北方的定窑屬于宋代"五大名窑"之一，以燒製印花白瓷著稱。窑址位于河北省曲陽縣的澗磁村和東西燕山村，因唐時地處定州，故名定窑。

定窑創燒于唐，盛于北宋而終于元，燒瓷時間長達七百餘年，是北宋燒瓷歷史最長的瓷窑之一。由于定窑各時期製瓷原料、窑爐結構與燒窑所用的燃料等不同以及工藝上的不斷改進，定窑瓷器在造型、釉色等方面形成了不同的時代特徵。北宋時期，改唐代一匣一器的漏斗狀匣鉢裝燒方法爲支圈組合窑具的方法，大大提高了窑位利用率，使産量倍增。采用支圈覆燒法的器物，口沿無釉，圈足窄矮，施滿釉。隨着裝燒方法的改變，在器物成型上采用印花模具加輪製成形，即成形與裝飾一次成功的新方法。印花模具既起裝飾作用，又起到成形的輔助作用。因此，器裏印花，器外一般留有明顯的旋削刀痕。又由于這時期改柴窑爲煤窑，變唐代還原焰爲氧化焰，瓷器的釉色從純白或白中閃青變爲白中泛黃。因定窑白瓷釉的着色氧化物是鐵和鈦，如在還原焰中燒成，釉色純白或白中閃青，在氧化焰中燒成，釉色就變成白中閃黃了。因此，從還原焰變氧化焰是導致定窯白瓷色調變化的根本原因。受其影響，燒製類似印花白瓷的窯很多，主要有山西的平定、盂縣、陽城、介休以及四川的彭縣等瓷窯。這種定窯風格迅速風靡南北瓷壇。

耀州窯

位于陝西省銅川市的黃堡鎮。銅川舊稱銅官，宋時屬耀州，故名耀州窯。北宋時製瓷技巧純熟，大量燒製青瓷，釉色青中泛黃，有刻花、印花，以刻花最爲精緻，是北方極受青睞的青瓷品種。

耀州窯與定窯一樣，也從唐代的柴窯改爲煤窯，變還原焰爲氧化焰，這也是導致耀州窯釉色青中泛黃的主要原因。這不僅意味着燒瓷品種的增多與瓷器質量的提高，而且逐漸形成自己的獨特風格。以刻花爲飾的瓷器有了很大的發展，并臻于成熟，具有綫條活潑流暢、刀鋒犀利的特點。爲了適應瓷器裝飾的需要，器內印花很快發展起來，如不同形式的牡丹、菊花、蓮花、鴛鴦、水波魚紋等印花常常出現在碗盤的內壁，布局工整，講求對稱。

受耀州窯影響，燒製這類青瓷的窯多集中在河南地區。最重要的有臨汝窯，其次有宜陽、禹縣、寶豐、魯山、新安、內鄉等地瓷窯。在南方的瓷窯中，由于外銷的需要，廣州的西村窯在胎質、釉色、造型等方面也模仿耀州窯，但製作較爲粗糙。江西的吉州窯也仿燒耀州窯，其中的漏斗狀小碗，除胎質、釉色不同外，造型與紋飾幾乎完全相同。

磁州窯

宋代著名的民間瓷窯之一，位于河北磁縣觀臺鎮東艾口村、冶子村及彭城鎮等地。燒製品種繁多，以白地黑花釉下彩爲代表。產品都是當時民間常用物品，紋飾取自民間流行的歷史故事以及人們喜聞樂見的"嬰戲圖"與各種花鳥等，因此被譽爲北方民間瓷窯的代表。

白地黑花瓷器是磁州窯匠師們創造的，由于受到民衆們的歡迎，又廣泛地影響到鄰近的瓷窯，形成了北方民間瓷窯的主流器種。受其影響，燒製白地黑花瓷器的瓷窯很多，主要有河南的修武當陽峪窯、鶴壁集窯以及禹縣的扒村窯。當陽峪窯在燒白地黑花的同時，又創造了加刻、劃花的方法，更突出了它的裝飾效果。這項技術不僅爲磁州窯所吸收，而且又加以改進，從而創造了具有磁州窯特點的新器物。禹縣扒村窯燒白地黑花器受磁州窯的影響，但又具備自己的風格。其產品造型常見的有梅瓶、大盆，紋飾題材以蓮花瓣紋、水藻紋、游魚紋居多，但畫得比較潦草，布局也很瑣屑，經常在一件器物上畫得滿滿的，給人以繁瑣雜亂的感覺。另外，鶴壁集窯、登封窯以及山西的介休、江西吉州等窯都燒製具有磁州窯風格的白地黑花瓷器，但各具地方特色。

鈞窯

宋代著名瓷窯之一，位于河南禹縣城內的八卦洞。北宋時期已開始燒瓷，後受宮廷青睞，建立了官窯，燒製宮廷用瓷。官窯在北宋滅亡的時候遭到廢弃，金元時期民間鈞窯生產又得以恢復，燒製盤、碗、罐、瓶等生活用品。鈞窯以天藍釉著名，其中帶紫紅斑塊的產品很少。這種鈞瓷受到北方民間的廣泛喜愛，成爲普遍使用的器皿。當時燒製這類鈞瓷的民窯聚增，絕大部分集中在河南地區，如禹縣、臨汝、宜陽、寶豐、魯山、新安、內鄉等地，其次山西、河北等廣大地區都有燒造。

河南是北宋官窯的所在地，又是宋瓷最爲發達的地區。官窯多是在民窯的基礎上發展起來的，有的民窯燒製貢瓷後被宮廷看中而建立起官窯，如汝窯、鈞窯。有的瓷窯雖然燒過貢瓷，但因遠距都城或瓷器質量粗劣，終被宮廷淘汰，如定窯與耀州窯。

官窯由于人才集中，不惜工本，選料優質，工藝精湛，燒製了很多適應皇家所需的高檔瓷器，它們代表了宋代瓷器的最高水平。官窯瓷器的發展在一定程度上也促進了民窯瓷器的發展。另一方面，因官窯瓷器嚴禁民間使用與仿造，民窯不得不停燒或改燒其它品種，這無疑滯礙了民窯的發展。

宋代南方民窯主要有下列四個：

越窯

越窯在宋以前已有悠久的燒瓷史。窯址分布于餘姚上林湖，慈溪上岙湖、白洋湖一帶。北宋時期的產品製作精細，品種繁多，并經常利用刻劃花、鏤雕和堆塑等裝飾方法，其中以細綫條的劃花最爲精緻，以鸚鵡、鴛鴦、蝴蝶紋飾最具特色。越窯的卓越工藝蘊含民間濃郁的生活情趣。

越窯在唐代曾燒造貢瓷，著名的"秘色瓷"就產于越窯，但還未建官窯。北宋時期，越窯的生產仍處在發達興旺時期，大量燒製貢瓷，同時民用及外銷瓷也急劇增加，產量巨大。宋時杭州、寧波是重要的通商口岸，越窯的大部分由寧波或經杭州灣出海，運至國內外。爲了便于運輸銷售，所以沿海一帶杭州灣南岸，尤其是在寧波附近建立了許多瓷窯，瓷業興旺發達，其中寧波鄞縣東錢湖青瓷窯就是重要的一個。北宋後期，越窯逐漸爲龍泉窯所替代。

龍泉窯

宋代著名的青瓷窯，窯址在今浙江龍泉市內，廣泛分布在大窯、金村、溪口等地。北宋時期，生產的器皿以盤、碗、壺爲主，器物普遍使用刻花，同時輔襯以篦點或篦劃花，紋飾有波浪雲紋、蕉葉、團花和嬰戲等多種，南宋時形成自己的風格。代表龍泉青瓷最高水平的粉青釉、梅子青釉，就是這個時期的產品。它除滿足國内需要外，還生産銷往海外的産品。

北宋後期，龍泉窰青瓷以燒製碗、盤爲主，瓶、罐、鉢和執壺次之。其特徵是灰胎，素黃釉，并盛行繁縟的刻劃花裝飾。碗、盤内壁常飾團花、牡丹、浪濤和童子戲花等，外壁爲成組的斜直篦紋。瓶和執壺的腹部飾纏枝牡丹、蕉葉紋和蓮花瓣紋等，并填以篦點紋以突出主題紋飾。至南宋，龍泉窰有了很大發展，不僅産地擴大，瓷窰增多，産品質量也大爲提高。此時，青瓷以胎厚重，釉層透明匀净爲主要特徵。南宋後期，成功地燒出了薄胎厚釉青瓷，使青瓷釉層豐厚柔和、滋潤如玉。釉色有粉青、豆青、梅子青等。此時燒造技術深得瓷藝三昧，産品可稱宋代龍泉窰的代表作。龍泉窰青瓷釉大體可分爲石灰釉與石灰碱釉兩大類。從前者發展到後者，大約經過了一百多年的時間。梅子青釉的燒成溫度比粉青釉高，梅子青釉的釉層略帶透明，釉面光澤也較强。從燒造工藝而言，梅子青釉的形成原因除了燒成溫度較高以外，還需要較强的還原氣氛和比粉青更厚的釉層。

粉青和梅子青釉均配以白胎，龍泉窰除了生産白胎青瓷外，還生産一種黑胎青瓷，産量以白胎青瓷占主要地位。黑胎青瓷無論在造型、釉色、紋片以及底足的切削形式等方面都和南宋郊壇官窰器相似。鐵的含量是决定青瓷胎釉色調的主要因素之一。"朱砂底"和"紫口鐵足"的形成，都是由于胎内含有較多的鐵質并在燒成後期受到二次氧化所致。這些燒製青瓷的科學原理，均爲這時期龍泉窰工匠所掌握和運用，這就使龍泉青瓷享譽中外，進入了它的鼎盛時期。

景德鎮窰

以燒製青白瓷聞名宋代，它的産品釉色介于青色、白色之間，故名青白瓷。南宋時爲了設法提高産量，模仿定窰的覆燒法，故有"南定"之稱。青白瓷窰已發現的有湖田、湘湖、勝梅亭、南市街、黃泥頭、柳家灣等處，産品以湖田窰爲最精。裝飾方法有刻花、印花多種，産品以盤、碗最多，其次有壺、瓶、罐、盒等。景德鎮窰集中代表了宋代南方高超的燒瓷工藝。

景德鎮青白瓷的發展大致經過了三個時期。北宋初期燒青白瓷剛剛興起，由于燒窰的還原技術還没有完全掌握，致使瓷器的釉色與胎質的透明度均受到不同程度的影響。北宋末南宋初，青白瓷生産得到很大發展，青白瓷的釉色已從前期的青灰和淡黃改變成青綠色，色澤淡雅，瑩潤如玉，釉面明净潔麗，胎質細薄堅緻，刻劃紋飾清晰精美。這時期瓷器的造型更爲豐富，除燒製大量的碗、盤外，還有壺、瓶、罐、盞托、爐、盒等，器形多仿豪華的金銀器皿，盤、碗邊沿多采用葵瓣形，壺長流、曲柄、瓜棱腹。南宋中後期，爲了滿足國外市場上的需要，設法提高産量，在燒製技術上采用北方定窰支圈組合窰具的覆燒法。這種燒法儘管能大大提高產量，但在質量上受到很大影響，遠不如前期而逐步走向衰落。

受其影響，燒製青白瓷的瓷窯，多集中在江西地區，如南豐的白舍窯，贛州七里鎮窯以及吉州窯等，還有廣東、福建沿海地區的瓷窯，尤以福建爲最多。德化、泉州、永春、安溪、同安等瓷窯，有些產品堪與景德鎮窯的產品匹敵。

建窯

位于福建省的建陽縣，由于宋代鬥茶風氣很盛，專門燒製黑釉茶盞（碗），名"建盞"。建盞的胎内含鐵量高，因此胎成黑色。又因爲釉中往往有條狀結晶體，像兔毫，故名"兔毫盞"。北宋後期，因建窯燒製的黑釉盞適于鬥茶，故一度受宮廷青睞。發掘出土的帶有"供御"、"進琖"字款的茶盞就是證明。燒製這類產品的瓷窯，主要集中在福建的建甌、光澤、南平、福清、泉州等地，此外還有廣東、廣西、浙江、江西、四川等地的瓷窯。江西的吉州窯運用剪紙貼花于窯變釉之中，可達到人們預期的效果，既保持了"窯變釉"多變化的特點，又燒製出人們所需要的花紋，是吉州窯在吸取建窯燒瓷技術的基礎上的一大創新。除剪紙貼花外，還燒出來葉紋裝飾等瓷器新品種，具有濃郁的民間風味。

隨着南宋王朝的建立，宮廷用瓷的需要量不斷增大，除官窯外，部分用瓷還要民窯生產。這種官窯與民窯的相互依存、相輔相成的關係，構成了南宋時期瓷器發展的基本特徵，同時也是宋代瓷器高度發展的一個重要因素。

五、北方瓷窯的衰落與南方瓷器的新發展

元代瓷器在中國陶瓷發展史上占有重要地位，然而在以往的文獻中卻提及甚少。元代瓷器發展與宋代截然不同，宋代民間瓷窯星羅棋布，一片興旺景象。元代由于戰爭的破壞，北方陶瓷生產受到嚴重的削弱。南方儘管也受到不同程度的戰亂的影響，但元世祖以後，推出了一套統治全國的辦法，經濟文化得到相應的發展，南方瓷窯基本上未遭到損失，浙江的龍泉窯與江西景德鎮窯還得到了較大的發展。另外，在沿海地區特別是福建、廣東兩省，除宋時所遺留下來的瓷窯外，爲了適應外銷的需要，還建立了許多新窯。江西景德鎮青花瓷器的大量燒製，是這時期的重大成就。

宋代北方四大窯系中的定窯與耀州窯，已經衰敗下來，儘管它們還有少量的生產，但其質量遠不如前代。

元代磁州窯在宋代的基礎上還繼續生產，雖然仍以燒製白地黑花瓷器爲主，但質量普遍下降。除了河北省磁州窯外，還有河南省的湯陰鶴壁、禹縣、郟縣、山西省的介休、霍縣等地的瓷窯。燒製器物除盤、碗外，還燒製各式碩大、渾圓、

厚重的大罐、盆、長方形枕等。罐爲大口、斂足、鼓腹。常見的紋飾有龍鳳、花卉或雲雁等，也有墨書詩句的。這類白地黑花大罐，在元大都遺址和北方墓葬中常有出土。除這類大罐外，還有白地黑花大盆出土。這種盆的胎體厚重、板沿、器深平底、寬圈足。盆裏繪魚藻紋，綫條粗獷，形象逼真。湯陰鶴壁集窯大量燒製這類魚藻紋盆。器內盛水後，確有“如魚得水”、生動活潑的藝術效果。

元代鈞窯是北方產量大、地區分布廣的一個瓷窯群。河南省的鶴壁、安陽、浚縣、淇縣、新安、臨汝、禹縣、郟縣、寶豐、魯山、内鄉，河北省的磁縣，山西省的渾源、介休等地的瓷窯場大量燒製鈞瓷。燒製器物以盤、碗等民間生活用瓷爲主。瓶、壺、罐類器物較爲常見。釉色多爲天藍釉，月白釉色者次之，也有帶紫紅色斑塊裝飾的器物，但較爲少見。一般胎質粗鬆，釉面多棕眼，光澤較差，施釉不到底，碗内圈足内外無釉。這類鈞瓷器皿在元大都居住遺址與一般元代墓葬中出土較多。在發掘出土的元代鈞窯瓷器中也有一部分精細作品，如北京後桃園元代遺址出土的一對鈞窯雙耳瓶，内蒙古呼和浩特市郊出土的一件元代鈞窯堆花三足爐等。

元代龍泉窯青瓷的燒造在宋代的基礎上又有所發展。水陸交通的發展和元代對外貿易的需要，直接促進了當時龍泉窯青瓷的發展。龍泉窯由宋代交通不便的大窯和溪口迅速地向甌江和松溪兩岸擴展。元代龍泉窯的窯址除在龍泉縣的東部外，還在雲和、永嘉、武義等縣大量發現。

元代龍泉窯青瓷的特點是器形高大、胎體厚重。這種大件器物的燒成，標志着製瓷技術的提高。較流行的器物有高足杯、菱口盤、束頸碗、環耳瓶、鳳尾尊、蔗段洗、荷葉蓋罐、動物形硯滴、雙繫小口罐等。瓷器的裝飾出現了褐色點彩，普遍飾有花紋。紋飾采用刻劃、印、貼、鏤堆等多種方法。印花有陽文與陰文兩種，陰文印花是元代龍泉窯的主要裝飾方法。貼花有滿釉與露胎的區別。如果説南宋龍泉窯爲成熟時期的話，那麼元代無論在生產規模、燒造工藝和裝飾等方面都有了較大的發展。

中國自古有“瓷國”之稱，而景德鎮則是中國的“瓷都”。由于其優質的原料和精美的產品，製瓷業長盛不衰。在宋代它雖爲“民窯”，但已表現出高超的製瓷技藝。元、明、清三代，朝廷相繼在景德鎮設置“浮梁瓷局”、“御窯廠”，欽命朝廷官員監督，徵調國内最杰出的工匠、畫師，不惜工本，燒造出供皇室帝王、后妃玩賞享用的官窯瓷器。民窯瓷的生產相應地得到充分的發展。景德鎮瓷器生產臻于極盛，達到了中國古代瓷都藝術的輝煌巔峰，創造出一系列五光十色，美輪美奐，風靡海内外的新品種、新工藝，青花瓷器是其中最重要的一種。

青花瓷器是景德鎮創燒的一種新品種，即白地藍花瓷器的專用名稱。“青花”

是指應用鈷料在瓷胎上繪畫，然後上透明白釉，在高溫下一次燒成，呈現藍色花紋的釉下彩瓷器。元代青花瓷器造型以瓶、罐、壺等大件器物居多。裝飾常以龍鳳、鶴、麒麟、鴛鴦、蓮花、牡丹、海水、魚藻以及松竹梅紋等爲主題紋飾，并輔以回紋、雲紋、蕉葉、捲草、水波紋等，構圖以層次繁密，主次分明爲其特徵。

釉裏紅瓷器是元代景德鎮的又一大創造。它是一種紅色釉下彩，與青花瓷器同時出現。釉裏紅的着色原料爲氧化銅。氧化銅在高溫下容易揮發，很難燒成。它在燒製過程中，對窯溫的高低、氣氛的控制等要求很嚴，發色十分敏感，往往燒不成紅色。因此，釉裏紅經常出現釉裏褐色或褐黑色。

元代後期，由于“卵白”釉白瓷以及釉下青花瓷器的出現，青白瓷終被取而代之。卵白釉又稱“樞府”釉，是一種帶印花白瓷，由于其釉色略呈鴨蛋青色，故曰“卵白”釉。明《新增格古要論》古饒器條記載，“元朝燒小足印花者，內有‘樞府’二字者高”，《景德鎮陶錄》內已有“樞府窯”條目。

卵白釉器皿以碗、盤、高足杯等小件器皿爲常見。碗爲淺腹、折腰。盤有大小之分，均爲敞口，小圈足。高足杯多爲敞口，底部豐滿，承以上細下粗的竹節形高圈足。卵白釉白瓷典型器物的一個主要特徵是，圈足小壁厚，削足規整，足底無釉，底心有乳釘狀突起。裝飾均以印花爲多，紋飾題材常見的有雲龍紋與纏枝花卉兩類，具有款識者在花間對稱處印“樞府”兩字。

銅紅釉瓷器與鈷藍釉瓷器燒製成功，也是元代景德鎮的兩個創新品種。銅紅釉是將氧化銅摻入釉料之中，作爲釉施于器物表面，在大窯內燒製而成的。銅紅釉瓷器與釉裏紅瓷器一樣不易燒成，發色往往爲紫紅色、褐紫色，鮮紅色者很少見。因此，流傳下來的銅紅釉瓷器就不多見。另一種銅紅釉加印花裝飾的品種就更爲罕見。傳世的祇有一種盤，盤裏印雲龍紋裝飾，製作精湛，器底一般無釉，俗稱砂底。

鈷藍釉瓷器與銅紅釉瓷器在製作工藝上完全相同，祇是它們的着色原料不同。鈷藍釉是將氧化鈷料摻入釉中，施于器物的表面，放入大窯內燒造而成。因鈷藍釉瓷器燒成較爲容易，流傳于世的較銅紅釉瓷器爲多。除了一種印花雲龍紋器外，還有一種藍釉上再描金花的做法，俗稱“藍釉描金”。

藍釉白花瓷器也是這時期的重要創造。如藍地白龍梅瓶和藍地白龍盤，其特點是藍白色彩對比強烈，白龍細部用劃花描繪使其具有立體感。它與青花瓷器的白地藍花的做法正相反，別具一格，收到了極好的藝術效果。

六、江西景德鎮成爲全國燒瓷中心

明清時期，中國製瓷業發展迅猛。明代初年在景德鎮建立御窯，以政府之力推動燒瓷工藝的提高與創新。成化、嘉靖年間，創造并發展了鬥彩、五彩瓷器。清代康雍乾三朝，在明代基礎上大力發展製瓷業，創製了粉彩、珐琅彩以及釉上藍彩、墨彩、金彩等多項工藝，在燒造技巧和藝術水準方面均達到空前未有的高度，使中國古代製瓷業的發展呈現又一高峰。

明清的瓷器生產，主要集中在江西景德鎮，景德鎮成爲全國燒瓷中心。這時期全國各地的瓷窯儘管有的還在繼續燒造，也取得了一些成就，如山西的法華、德化窯的白瓷，江蘇宜興的紫砂陶器等等，然而由于景德鎮具備了優越的燒瓷自然條件與高超的技術力量，一面繼續燒製青花瓷器，一面燒出了鬥彩、珐琅彩、粉彩、五彩等新品種，因而其實力無可匹敵。特別是景德鎮的官窯——御窯廠的建立，更加促進了景德鎮瓷業的發展。御窯廠具有種種特權，集中了最熟練的製瓷工匠，占用了最優質的原料，在經濟上不惜工本，爲宮廷燒製御用瓷器。御廠在燒瓷工藝上的提高與創新方面，起到了極大的推動作用。由于民窯的生產性質不同，擔負着生產國內外市場需要的瓷器。因此，無論在生產規模，還是產量上，都遠遠超過了御窯廠。"官窯"與"民窯"的共存，是明清景德鎮瓷業高度繁榮的一個重要原因。

明洪武初年，景德鎮就建立了官窯，在元代燒瓷的基礎上大量燒製青花與釉裏紅瓷器。明永樂、宣德時期，官窯又得到了很大發展。燒製的青花瓷器，以其胎、釉精細，藍色濃艷，造型多樣和紋飾優美而負盛名。紅釉瓷器色澤鮮紅，光彩奪目。永樂白瓷釉質潔白、温潤如玉，釉色柔和悦目。

鬥彩瓷器是明代成化時期新發展起來的一種彩瓷杰作。這種彩瓷由于是從釉下青花發展到釉上加彩，并把兩種彩同時運用于一件瓷器上，形成釉下、釉上彩相鬥媲美，故名"鬥彩"。雖然考古工作者在景德鎮珠山御窯廠發現了宣德時期的鬥彩瓷器，又在西藏薩迦寺發現了相同的傳世品，但真正發展起來而大量生產應當還是在成化時期。

明嘉靖時期，創造了一種五彩瓷器。萬曆時期又得到很大的發展，釉上五彩加鏤空與雕塑，并運用開光圖案以突出主題的裝飾手法爲其特點，顯得粗獷豪放而有別于成化鬥彩與嘉靖五彩的風格。景德鎮上述的這些燒瓷成就，沒有哪一個瓷窯能與之相比，從此成爲了中國燒瓷的中心。

清代瓷器的生產，在明代景德鎮燒瓷中心形成的基礎上更加繁榮昌盛起來，達到了中國瓷器發展的高峰，特別是康熙、雍正、乾隆三朝臻于鼎盛，進入了景德鎮瓷器發展史上的黃金時代。凡在明代已有的工藝和品種，大多有所提高或創新。清代康熙時期的青花使用的是雲南珠明料，青花呈色純净明亮，藍色鮮艷，濃淡相間，層次分明。雍正青花繼承了康熙青花，但呈色比較淡雅。乾隆青花呈色較深，多仿明代宣德青花。

康熙五彩在明代萬曆五彩的基礎上，又發明了釉上藍彩、墨彩、金彩，比明代彩色更爲多樣，更爲透徹明亮。由于色彩的豐富和對窯温的有效控制，康熙五彩一般都艷麗光潤，大大超過了明代五彩。

琺瑯彩瓷器是康熙時期由宮廷造辦處創造出來的新品種。因其料中加入了鉛粉，故稱其爲粉彩，在雍正、乾隆時期得到了很大發展。康熙、雍正、乾隆時期的單色釉瓷器繼承了歷代的製作經驗而又創造了許多新品種。其中以康熙時的郎窯紅最爲著名。以鐵呈色的天青、冬青、粉青及以鈷呈色的天藍釉瓷器等的燒製都達到了歷史上的最高水平。仿宋代的汝、官、哥、定、鈞釉器，釉色純正，色調穩定。雍正、乾隆時期仿各種木製、石製器皿也幾可亂真，特別是仿各種瓜果、海螺等的象生瓷，以及轉頸瓶、轉心瓶等，不僅造型別出心裁，繪畫細膩，而且它的製瓷工藝也是空前未有的。清代嘉慶、道光時期是景德鎮的瓷業生產從極盛到衰退的轉折時期。咸豐、同治以後，就不如前期，光緒、宣統的瓷器生產更爲低下，所以代表清代瓷器發展的歷史高峰，是指清代盛世——康、雍、乾三代。

青花瓷器

青花的着色劑是氧化鈷，鈷料分進口料與國產料兩種。由于它們所含成分多少的不同而有所區別，進口料即"蘇麻離青"料，含鐵量高，含錳量低并含有砷，故稱"高鐵低錳"料，而國產青料則相反，含鐵量低，含錳量高，所以稱"低鐵高錳"料。

明清瓷器的生產是以青花瓷器爲軸心的。明清時期，由于青花原料之不同，在產品上就表現出了不同的時代特徵。根據青花瓷器所使用的原料，一般可劃分爲如下七個階段：

第一個階段是以明初洪武時期爲代表。洪武時期的青花瓷器，長期以來不爲人們所認識，經過景德鎮陶瓷考古研究所對景德鎮御窯廠的發掘證明，《浮梁縣志》有關洪武二年（公元1369年）建立了官窯的記載是可靠的。經考證，洪武青花瓷器所用的青料爲元代剩餘的進口料。這一結論，從發掘的大量洪武青花瓷器的特點與風格上，也得到了印證。

第二階段是以永樂、宣德時期爲代表。史書記載，這時期鄭和七次下西洋，雖其主要目的是爲了宣揚國威，但在客觀上溝通了中西的海路，使對外貿易達到了空前的繁榮。出使時携帶物中包括大宗瓷器，帶回來的有青花瓷所用的青料——"蘇麻離青"料，這爲明代永樂、宣德時期青花瓷器的發展創造了條件。

第三階段是以成化、弘治、正德三朝爲代表。這一階段青花瓷器的生產仍然是主流，在技術上儘管與前期有着不可分割的繼承關係，但由于進口青料已經用完，改用了國産青料——"平等青"。這就形成了青花瓷器的呈色特點不同于前期永樂、宣德青花的主要原因。

第四階段是以嘉靖、萬曆時期爲代表。嘉靖時期青花的原料爲"回青"，青花呈色出現一種微泛紫紅的濃重、鮮艷的色調。萬曆時期的青花瓷器，除早期仍用"回青"和嘉靖呈色相似外，中期以後"回青"料斷絶，改用其它青料，具有藍中微微泛灰而頗有沉静之感的特點。

第五階段是以清康熙時期爲代表。康熙時期的青花瓷器，使用的青花原料是雲南的珠明料。采用的是所謂的"墨分五色"即"分水"的畫法。青花呈色純净明亮，藍色鮮艷，濃淡相間，層次分明，具有立體效果，爲雍正、乾隆的青花瓷器的燒製打下了基礎。

第六階段是以雍正、乾隆時期爲代表。雍正青花沿用康熙青花色料，但已不如康熙青花那樣艷麗，其色澤一反康熙時的濃青，較多地仿明代成化青花，比較淡雅，這是雍正青花瓷器的本色。也有一部分仿明宣德的作品，其呈色也有宣德青花那樣的暈散現象及黑色斑點。乾隆時期多仿明宣德青花，爲了追求宣德青花瓷器的效果，往往暈散，除有黑色斑點外，在釉質與釉下氣泡和釉面特徵上都與宣德胎質相像。

第七階段是以嘉慶、道光時期爲代表。清代嘉慶、道光以後的瓷器生産仍以青花瓷器爲最多。嘉慶、道光的青花瓷器，都繼承康熙、雍正時期的青花，其呈色不如康、雍時期穩定，有的藍色偏灰。咸豐、同治以後更多仿康熙青花的翠藍，但不如康熙青花下沉而顯得比較單薄。光緒、宣統以後的青花，儘管呈色有康熙時期的翠藍，但更爲單薄并給人以飄浮在釉面上的感覺。

景德鎮的青花瓷器自元代開始燒造以來，明清各個時期始終盛燒不衰，并大量出口海外。青花瓷器因此得到極大的發展，成爲中國瓷器中最具民族特色的品種而著稱于世。

顔色釉瓷器

永樂、宣德時期，除了在燒製青花瓷器上取得了較大成就外，在燒製顔色釉瓷器方面也有創新之作。如永樂時期的白瓷，製作較爲精緻，胎體薄到能够照光見影，故一般俗稱"半脱胎"。薄胎瓷往往有暗花刻紋，由于這種白瓷釉色柔和悦目，似白糖色，給人一種"甜"的感受，故稱其爲"甜白"。經過上海硅酸鹽研究所進行物理與化學方面的測試，認爲這種白瓷特有的那種"光瑩如玉"的質感，是因"釉中含有多量的微細的殘留石英顆粒和一定量的雲母殘骸而形成的"，"釉的組成結構和外觀”不同于明代其它時期的白瓷，而形成真正的“一代絶品”。由此可知，這種白瓷是利用含鐵含鈦質極微、助熔劑極少的優質原料燒製，使其瓷釉白度更高，瓷胎更接近現代硬質瓷的水平。

銅紅釉瓷器與鈷藍釉瓷器的燒製，是從元代開始的。明永樂、宣德時期，在元代的基礎上將其進一步燒製成功，應當説，這是這時期的又一重大成就。

銅紅釉的做法是將氧化銅摻入釉料之中作爲釉施于器物表面，在大窯内燒製而成。銅紅釉瓷器與釉裏紅瓷器一樣不易燒成，發色往往爲紫紅色、褐紫紅色，鮮紅色者很少見，因此，流傳下來的銅釉瓷器很少。明初洪武時期銅紅釉瓷器，往往紅中微微泛黃，永樂、宣德時期銅紅釉瓷器燒得非常成功，色者鮮紅艷麗，很像紅寶石，故有“寶石紅”之稱。

鈷藍釉與銅紅釉，在燒造工藝上完全相同，祇是它們的着色原料不同。鈷藍釉是將氧化鈷料摻入釉中，施于器物表面，放入窯燒造而成。鈷藍釉瓷器較銅紅釉瓷器燒成的幾率大，流傳于世的也較銅紅釉瓷器爲多。鈷藍釉瓷器儘管出現在元代，但在永樂、宣德時期造得更好，藍色艷麗，像寶石藍一樣，故有“寶石藍”之稱。到了明代中期，紅釉瓷器就很少見到了，有燒造技術失傳的説法，一直到清康熙時期才恢復了生産。

郎窯紅是康熙時期的典型品種。郎窯是景德鎮官窯巡撫郎廷極在此期間管理的窯，窯中所燒的是一種紅釉瓷器，所以得名“郎窯紅”。郎窯紅釉面光亮，并有細開片紋，釉色有濃艷和淺淡之分，有純紅色較光亮的玻璃釉，也有紫紅的較深的暗光釉。郎窯紅瓷器因爲釉厚，釉汁下淌，在器口部位上呈現出白色的口沿，故又稱其爲“燈草口”。

除郎窯紅瓷器外，還有一種豇豆紅，也是康熙時期創製并與郎窯紅并駕齊驅。它的色調淡雅柔潤，又稱“桃花片”、“娃娃臉”、“美人醉”等。它的釉色紅似豇豆，并帶有綠色苔點，這種苔點原爲燒成技術上的缺陷，但在渾然一體的淡紅釉中，摻雜一些星點綠斑，反倒也相映成趣。

還有一種霽紅釉瓷器，也是這時期的創造。它有别于郎窯紅的濃艷透亮，也不同于豇豆紅淡雅柔潤，是一種色調深沉的紅釉，呈色均匀，釉如橘皮。

以上郎窯紅、豇豆紅、霽紅都是利用銅作着色的色料，在1300度左右的高温下，控制還原焰氣氛燒成的紅釉瓷器，也是由于其中胎、釉料中含銅量的多少以及施釉工藝的差异，形成了各個不同的品種。

窯變釉是雍正時期開始創燒的。它是仿宋代鈞窯的玫瑰紫而燒成的一種釉色瓷，器口内的釉面爲柔潤的潔白色，上面有淺藍色的細絲紋。所施的釉汁有的形成旋渦狀，有的結晶成花朵狀。釉面開片自然，偶有流釉現象。

爐鈞釉瓷器也是雍正時期創燒的。它是由高粱紅和松石綠兩種顏色規則地交織在一起，釉層不透明，釉面開細小片紋，有長短不同的流釉現象，器足塗釉，内底一般有陰刻字款。

除此之外，還有一些單色釉瓷器，如胭脂水、紫金釉、珊瑚釉、孔雀綠、瓜皮綠、松石綠、灑藍、天藍釉、霽藍釉、茄皮紫、茶葉末等等，都燒得很成功。

鬥彩瓷器

"鬥彩"是在釉下青花瓷器上，再加釉上紅、綠、黃、紫等各種彩料，經爐火燒製而成的。何謂"鬥彩"，説法不一，一般認爲鬥彩是在大窑燒成的釉下青花上加各種彩料經爐火燒製而成，因兩種彩同時運用在一件瓷器上，有釉下彩與釉上彩争奇鬥艷之意，故名曰"鬥彩"。鬥彩的施彩技法，通常是先用青花勾畫出紋飾的輪廓綫，後在綫内填畫需要的色彩，故又稱其爲"填彩"。還有從畫法上稱之爲"加彩"、"點彩"、"染彩"等的，但"鬥彩"之名現在用得最爲普遍。鬥彩的彩料豐富，有鮮紅、油紅、杏黃、薑黃、水綠、葉子綠、孔雀藍、葡萄紫、姹紫等。成化鬥彩瓷器胎質細膩，輕薄透體，造型匀稱端秀，白釉柔和瑩潤，色彩鮮麗。在傳世成化鬥彩瓷器中，以各式杯、碗、蓋罐、瓶等小件器物居多，工藝精湛，數量很少，并多爲宫廷用器，彌足珍貴，在文獻中就有所謂"成窑酒杯，每附至博銀百金"的記載。

傳世的鬥彩瓷器要以成化時期的爲最早，所以過去一般認爲鬥彩始于成化。然而，1984年，考古工作者在西藏日喀則薩迦寺發現了書寫"大明宣德年製"款的鬥彩鴛鴦蓮花紋碗，之後這一論點有所改變。1988年，景德鎮考古研究所在景德鎮發掘珠山御窑廠時，發掘出"大明宣德年製"款的鬥彩鴛鴦荷花紋盤，盤裏書藏文一周，兩器的主題紋飾均爲鴛鴦荷蓮，繪法大體相同，同爲宣德時期的鬥彩製品無疑。這不僅證明鬥彩瓷器始于宣德，發展于成化時期，而且還印證了文獻中所記載的"宣德五彩"之説。

由于成化時期鬥彩瓷器燒造成就斐然，以及傳世鬥彩瓷器又爲數很少，故在明代嘉靖、萬曆時期就開始進行模仿。清代康熙、雍正就更爲盛行，但亂真者極少。

明嘉靖時期有了少量的鬥彩瓷器的生產，但均爲仿成化的製品，亦采用青花勾綫，用釉上彩填色，或以青花和釉上彩拼成一個圖案的作法，造型上也均以小件器物杯、碗、盤、碟居多，但均署"大明嘉靖年製"六字楷書雙方欄款。萬曆時期多五彩而少鬥彩。萬曆鬥彩常見的有碗，底有"大明萬曆年製"六字楷書款。

康熙鬥彩器物形制種類較少，有盤、碗、杯、筆筒等，也有一種較大的花盆。杯有十二月杯，從正月至十二月，以代表各月的花朵爲題材，成爲一套十二隻杯。

杯胎薄釉潤，彩畫工細，器底均有“大清康熙年製”款。另一種是仿成化的雞缸杯，其形制、尺寸與圖案均相同，器底書有“大清康熙年製”款。

雍正鬥彩在康熙鬥彩製作的基礎上，仍有所發展。雍正多鬥彩而少五彩，鬥彩大致可以分爲兩類，其一是仿成化鬥彩器皿，此類均爲小件杯、盤、瓶與小罐等，器底均書有“大清雍正年製”款，其二爲本朝流行的各類器物。

乾隆鬥彩和雍正的一樣，有全部仿成化鬥彩器皿的，此類小件者居多，器底有“大明成化年製”款，還有仿明嘉靖、萬曆時期的製品，器底書有“大明嘉靖年製”和“大明萬曆年製”款，以鬥彩技巧燒製本朝的大器皿，器底多數均有“大清乾隆年製”篆書款。清末也有仿明成化鬥彩之作，但大多爲粗製品。

五彩瓷器

明嘉靖、萬曆時期，在成化鬥彩的基礎上又創造性地燒成了“五彩”。“五彩”并非五色，而是多種彩色之意。嘉靖、萬曆時期的“五彩”瓷器主要有兩類：一是紅、綠、黃爲主的純粹釉上五彩；一是以青花作爲一種色彩與釉上多種彩相結合的青花五彩瓷器。習慣上所指稱的典型嘉靖、萬曆五彩，一般就是青花五彩，而紅、綠、黃的釉上五彩瓷器比較少見。

五彩與鬥彩瓷器有明顯的區別。鬥彩是釉下青花爲主，它與釉上彩互相輝映，爭奇鬥艷。五彩則是釉下青花已失去了主調的地位，與釉上彩完全等同地作爲其中的一種組合色彩。即是說，五彩是釉下青花與釉上彩的局部紋飾，組成一幅完整的圖案，而鬥彩卻是在青花輪廓綫內填以各種色彩，這是兩者的一個主要區別。一般鬥彩瓷的胎質細潤、精薄，繪畫精細優美，而五彩胎體較爲粗厚，畫意粗獷豪放。紋飾常以蓮池、鴛鴦、魚藻、人物、嬰戲和雲龍、雲鳳、雲鶴、團鶴爲主，并以回紋等輔助紋飾，色彩濃厚、鮮艷、對比強烈，達到了極爲華麗的地步，有的五彩瓷器還加以鏤孔裝飾，就更爲富麗堂皇了。

清代康熙五彩是在明代萬曆五彩的基礎上發展起來的。然而由于康熙五彩發明了釉上藍彩和黑彩，較之明五彩更加瑰麗多姿，金彩的廣泛運用，則使色彩更爲鮮艷奪目。釉上藍彩不同于釉下青花，因此在需要藍色的地方，不用借助于釉下青花，而能以純粹的釉上色彩來表達，豐富了色彩的表現力，所畫物象更接近于自然。黑彩的運用，不僅起着局部紋飾的點綴作用，如人物紋中的髮髻、花邊、鞋帽，花果樹木中的樹幹、花葉，動物的龍眼、鳥羽、蝶翅等，而且能使整個畫面更加突出紅、綠、黃其它等顏色的色彩作用，因此，凡帶黑彩的器物，畫面都產生出一種獨特的藝術效果。金彩更使康熙五彩雍容華貴，富麗堂皇。

康熙五彩瓷器也可分兩大類，一類釉上五彩，一類五彩描金，以釉上五彩最具康熙五彩特色。五彩描金的做法也很普遍，金彩鮮艷不易脫落。金彩還施在灑藍釉、青釉、紅釉等瓷器的釉面上，也收到了一種特殊的藝術效果。紅彩是康熙五彩瓷器中運用較多的一種色彩，紅彩比明代鮮艷光亮，畫彩技術精湛，方法也多樣。康熙五彩的另一特點，是除了在白瓷地上彩繪外，還在各種顏色釉瓷器上施彩，如在豆青地、米黃地、霽藍地、灑藍地、黑地和紅地等各種瓷地上施五彩，這一做法，也是別開生面，獨具一格的。

清雍正時期，由于琺琅彩與粉彩瓷器工藝的發展，五彩瓷器日趨衰落，儘管還能看到一部分雍正五彩，但多為小件盤、碗之類，畫意還比較精細，不像康熙五彩那樣粗獷豪放。乾隆以後基本上不見單獨以五彩繪製的瓷器出現，而是與粉彩、琺琅彩等并用。

琺琅彩瓷器

中國的燒瓷業，到了清代達到鼎盛時期。江西的景德鎮仍然是全國的燒瓷中心，它一方面繼續燒造青花瓷器，滿足國內宮廷和民間的需要，一方面又開發出瓷器新品種。清代繼續燒製五彩，同時新出了琺琅彩、粉彩以及一些色澤艷麗的顏色釉瓷器。

琺琅彩瓷器是清代康熙、雍正、乾隆三朝著名的宮廷御用瓷器。它是釉上彩瓷器的一種，它的工藝是先在已燒好的素面胎上塗彩料作底，然後在底色上加彩繪紋飾，再經爐火燒製而成。“琺琅”又稱“佛郎”，是13世紀由阿拉伯地區傳入中國的一種銅質工藝品。琺琅器又可分“掐絲琺琅”與“畫琺琅”兩類。

“琺琅彩”是從“銅胎畫琺琅”移植過來的一種釉上彩瓷，故又稱之為“瓷胎畫琺琅”。康熙時創燒，其彩色、繪畫、款式皆同“康熙御製”款的銅胎畫琺琅器。琺琅彩料的化驗結果表明，它的化學組成與中國傳統的色料有明顯的不同，琺琅彩中含有大量的硼，還含有砷，而在國產的彩料中，都不含砷。康熙時期的琺琅彩瓷器因直接仿銅胎畫琺琅，故一般在器物的裏面和圈足內部施有白釉，而器物的外部則是在未上釉的澀胎上施色地，然後再彩繪。如在黃、綠、紅、紫、藍色地上彩畫牡丹、月季、蓮花，或在花朵中心填寫“萬”、“壽”、“長”、“春”等吉祥字。器底寫“康熙御製”藍或紅色料款。器物以碗居多，有少量的小瓶。康熙琺琅彩很少有白瓷地彩繪的，色地彩繪是康熙琺琅彩的主要特徵。如果不見器內和足內白釉的話，看上去真與銅胎琺琅器沒有什麼區別。

琺琅彩瓷器的出現與康熙皇帝喜歡西方畫琺琅製品有着直接的關係，為了滿足宮內的需要，不僅專門設立了燒製琺琅的機構“內務府造辦處琺琅作”，從中國琺琅產地廣東挑選技術高超的匠師進宮，還請有法國畫琺琅藝人，利用進口原料共同參與燒製御用琺琅器皿。“琺琅作”利用景德鎮燒製的瓷胎，采用畫琺琅的方法繪製瓷器，發明了珐瑯彩。由于彩料和繪製方法與銅胎畫珐瑯器相同，故當時稱其爲“瓷胎畫法瑯”。所以，珐瑯彩瓷器是在宮中産生并專門供宮中觀賞的一種藝術珍品。

雍正時期的珐瑯彩瓷器最爲精美。它突破了康熙時期專門模仿銅胎畫珐瑯的做法，創造性地燒製出了具有瓷器特色的珐瑯彩瓷器。首先是把康熙的純粹模仿銅胎畫珐瑯階段，提高到珐瑯彩瓷器的新階段。雍正珐瑯彩是在上了釉的精緻白瓷地上施彩繪製。其次是使用的是宮廷造辦處煉製成功的珐瑯彩料，比康熙時使用的進口料增加了更多的色料品種，如軟白色、秋香色、藕荷色、淺綠色、深葡萄色、青銅色、松黃色等多種，大大充實了色料的表現力。第三是彩料凝重，花紋突起，色彩鮮艷，筆畫精細，紋飾着彩有晶瑩透徹的玻璃質感，層次清晰，類似西方油畫的藝術效果。紋飾題材上，雍正珐瑯彩描繪有花鳥、竹石、山水等各種不同的畫面，改變了康熙時期祇繪花枝、有花無鳥的單調圖案。第四是配以書法極精的相應題詩，使珐瑯彩瓷器成爲製瓷工藝和詩、書、畫相結合的藝術珍品。

乾隆時期的珐瑯彩，既繼承了康熙、雍正的傳統技法，同時又把兩者結合了起來，有了新的發展。乾隆珐瑯彩製品一方面仿雍正時在白瓷上配以詩、書、畫的精細作法，另一方面又追求康熙時猶如銅胎畫珐瑯的藝術效果。爲了把兩者結合起來并運用在一件器物上，所以常常采取“開光”或“分段”的作法來表現。一般“開光”內白瓷地上采用雍正珐瑯彩繪技法，“開光”外則追求康熙時仿銅胎畫珐瑯的風格，這是乾隆珐瑯彩的一個主要特徵。所謂“分段”是將一件器物根據其造型分上下若干段進行彩繪。如瓶分口、頸、腹、足各段，一般將瓶的主要部位如瓶的腹部，采用白瓷地上彩繪，而頸部、足部則采用銅胎畫珐瑯的做法。紋飾題材較雍正珐瑯彩更爲豐富多彩，除花鳥外，增加了山水人物和仙山樓閣。特別是仿西洋畫意，把透視法與中國畫法融合一體，形成了乾隆彩繪風格。

乾隆時期的珐瑯彩瓷器，除了繼續由景德鎮御窯廠提供優質素白瓷胎到宮中彩繪外，也有一部分珐瑯彩瓷是直接根據宮中需要，按宮中設計式樣而由景德鎮御窯廠生産的。這部分珐瑯彩瓷器，往往是別出新意，將珐瑯彩與粉彩并用于一器，有時無法將它們區別開來。

嘉慶、道光以後，製瓷技術不如前代，瓷器質量低劣，較精細的珐瑯彩瓷器幾乎不見，所以大多以粉彩視之。

粉彩瓷器

粉彩始創于清康熙時期，極盛于雍正、乾隆時期。粉彩是在康熙五彩瓷器的基礎上，采用珐瑯彩的進口色料繪製，經爐火燒製而成的。

珐瑯彩是康熙時期宮中珐瑯作在景德鎮燒製的白瓷胎上，按銅胎畫珐瑯的方法，利用珐琅彩料繪製創燒而成的一種彩瓷，而粉彩卻是景德鎮受到珐琅彩的影響而燒製的。康熙後期，宮中的進口珐琅彩料帶到了景德鎮。當時這種彩料在景德鎮不僅少，而且非常珍貴，所以不能像宮中繪製珐琅彩瓷器那樣廣泛使用，開始僅在彩繪裝飾的主要部分，如紅花的花朵中運用珐琅彩料"胭脂紅"，其它枝葉部分，仍沿用五彩料，這就是粉彩的開始。因此，康熙時期的粉彩在用料上多半是五彩與珐琅彩兩種色料并用，還沒有形成純粹的粉彩。過去一般認爲粉彩始于雍正，就是這個道理。

雍正時期的粉彩瓷器，無論在造型、胎釉和彩繪方面，都得到空前的發展。粉彩的最大特點是用"玻璃白"打底，而五彩并不使用"玻璃白"。"玻璃白"是在含鉛玻璃中，引進砷元素而形成的。"玻璃白"中的氧化硅是形成玻璃的主要成分，氧化鉛爲熔劑，而氧化砷起乳濁作用，這就是粉彩不同于五彩的主要原因。在繪製的技法上，五彩用單綫平塗法，而粉彩用"渲染法"，花瓣和人物衣服有濃淡明暗之感。例如花朵一般用胭脂紅着色，往往在花蕊部分保留的色料最多最厚。從花心到花瓣，愈往外，紅色洗去的愈多，這種技法利用色料本身造成不同層次的立體感。而五彩由于是單綫平塗，達不到明暗濃淡分明的色彩效果，但爲了表現光綫的强弱、景物的遠近，則往往用不同的色料。因此，文獻中把"五彩"稱之爲"硬彩"，把"粉彩"稱之爲"軟彩"。

雍正粉彩多數是在純净的潔白瓷胎上進行彩繪的，因此更能突出它的淡雅柔麗之感。雍正粉彩以盤、碗之類的器物最多，紋飾以花蝶、牡丹、月季、海棠爲主，四季花也極爲普遍。官窰器多數有"大清雍正年製"兩行六字楷書款。

乾隆時期的粉彩除白地粉彩外，還有各種色地的粉彩瓷器，如豆青地、紅地、黃地、藍地、綠地、胭脂紅地、碎紋地等，也往往采用開光、鏤空、堆塑、描金等多種裝飾技法于一件器物之上而形成自己的風格。白瓷地粉彩多繼承雍正粉彩，繪以花卉圖（包括過枝花卉）和少量墨彩山水圖等，具有比較雅静的風格，一般裝飾在器物的主部位，并以開光或分段的形式隔開，開光之外以色地壓印滿布全器的細小"鳳尾紋"，重色濃彩，錦上添花，給人以繁縟之感。

乾隆粉彩的器物除日常用的碗、盤、杯、碟和各式瓶類外，文房用具及各種陳設和飾件也特別多，如筆杆、筆洗、筆架、筆床、筆筒、印盒、書式糊盒、琴式鎮紙、小形插屏、壁瓶、壁盆、香插、如意、帶鈎、鼻烟壺、大吉葫蘆挂瓶等。另外還有一些粉彩宗教瓷，如各種菩薩像，佛前的五供、金賁巴瓶、齋戒牌等。除官窰外，還有許多民窰生產的粉彩，但多以碗、盤、茶具爲多，其中大量的碗、盤也仿乾隆官窰風格，用壓鳳尾的飾地圖案裝飾，但製作一般較粗。乾隆粉彩的官窰器大多書"大清乾隆年製"六字篆書款。

清嘉慶、道光以後的粉彩瓷器大多繼承乾隆時期風格，但製作更爲粗糙，粉彩器中有一部分器物的内壁和底部施豆瓣緑釉，壓鳳尾紋粉彩器仍多見各種色地，如黄、紅、緑等，粉彩中描金也比較普遍。

七、製瓷的特種工藝

乾隆時期由于乾隆皇帝與宫廷的大量需要，除了燒製各種彩瓷與單色釉瓷器外，還不惜工本，追求各種新奇製品，大量生産肖形、象生瓷，仿製各種工藝製品，用特殊工藝生産轉心瓶、轉頸瓶等特種精品。這類瓷器，還不能説是那個時期製瓷上的重要成就，但却突出地反映了當時製瓷工藝的高水平和新創意。

雍、乾時期特别是乾隆時期最爲流行的瓷器，大致可以歸納爲三類：一類是仿各種工藝品和肖形、象生器，如仿製竹、木、漆器，青銅器，擬肖胡桃、蓮子、茨菇、長生果、藕、棗、栗、石榴、風菱、蟹、海螺等物象，生産各種象生瓷等。製作精巧，形象逼真。仿製紅漆是在瓷胎上模印花紋，經過雕剔加工素燒後，施紅釉低温燒成，頗有雕漆的感覺，器形亦以盤、盒爲多。另一種是在素胎上施黑漆般的釉，并在釉上加彩繪。仿木紋製品雍正時開始出現，乾隆時的木紋釉更加逼真，最常見的有木紋筆筒、臂擱之類。仿竹器往往是文具用品之類，如筆筒、臂擱等，釉色不僅接近竹的感覺，而且施釉時還保留着竹絲的紋路。仿銅器製作也十分逼真，非常巧妙地反映出銅器的色澤與銹斑。二類是轉心瓶與轉頸瓶燒造成功，更是前所未有的新奇之作。轉心瓶一般在大瓶内套一個小的可以轉動的内瓶，内瓶上往往用粉彩描繪嬰戲或四季風光，由于外瓶鏤空，在轉動内瓶時可以通過外瓶的空隙看到内瓶的不同畫面。轉頸瓶的頸部可以轉動，有的在可轉動的頸部標寫天干，在固定的瓶體標寫地支，隨着頸部的轉動可以得出代表日期的干支來。三類是仿"汝、官、哥、定、鈞"宋代五大名窯的産品。清代前中期，特别從雍正開始，在仿製汝、官、哥、定、鈞釉的工藝上是很有成就的。汝、官、哥窯器都是以"開片"釉作爲裝飾的，景德鎮窯工們根據宫中需要，摸索宋瓷燒製的原理，利用釉、胎膨脹系數不同成功地造成開片的效果。宋代汝窯的天藍釉色中顯出魚子紋小開片，而胎釉都極細膩，具有色澤淡雅柔和的特點，清窯燒出的仿汝製品與之十分相像。

雍正、乾隆兩朝的仿宋官窯器也極爲成功，有時竟能達到真僞難辨的程度。哥窯在明代成化朝已有少量仿製，器型多屬小件碗、碟、洗之類。至雍正、乾隆之間所仿有較大器物，多見葵口碗、琮式瓶以及筆筒、水盂、筆架等文房用具。仿鈞窯的製品以雍正時期最爲逼真。仿鈞釉中的窯變花釉，是將多種不同色釉施于一器，釉在高温下流淌以及相互交融，呈現出猶如火焰狀的色彩，較紅的稱爲火焰紅，偏藍的謂之火焰青。

雍正、乾隆時期的這些仿品不僅力求和各類工藝品原物的造型一致，而且與原物的色澤也十分相像，往往能精確地表達出各類工藝品原物的質感。仿宋代"五大名窯"的製品，有的幾乎達到亂真的程度。這說明製瓷工人高度掌握了釉的配合和燒成火度、燒成氣氛的技術。

明清時期江西景德鎮是全國的燒瓷中心，此外，還有幾個著名的瓷窯，它們的產品在當時也有很大的市場。

浙江龍泉窯

龍泉窯在宋代盛極一時，經過元代至明代，呈現出衰敗的勢頭。但明代仍在繼續燒造，特別是明初，在全國製瓷業中還占有一定的地位。明代龍泉青瓷，無論是釉色，還是瓷質都大大不如前代，但也還能燒造一些大件器物，如大花瓶和大盤。這些大瓶有的高達1米以上，大盤直徑在60厘米以上，在當時能够燒好這樣大的產品是很不容易的。

明代龍泉窯瓷器的裝飾，以刻劃花爲主，其造型與江西景德鎮明初的產品相同，如菊瓣紋碗、玉壺春瓶、執壺、蓋罐等器。清代龍泉窯也還在繼續燒造，不過也祇是供應本地小量的需要，產品更不如以前各代并逐漸走向衰落。

福建德化窯

德化窯位于福建德化縣，以燒白瓷著名于世。它在宋代就已生產白瓷，釉色大多是青釉與青白釉兩種。因爲它的產品主要是爲了銷往海外，因而模仿當時大量出口的龍泉青瓷與江西景德鎮的青白瓷。元代仍是如此。到了明代就改變了這種作法，因爲從外銷轉到以內銷爲主，瓷器的釉色從青白釉變爲純白釉或白中閃黃，即一種"象牙白"，這種白釉透明度高，既不同于北方白瓷，也與景德鎮的白瓷有別，而形成了自己獨特風格。

明代德化窯的瓷雕是頗負盛名的。能于各種雕像中見性格，如達摩的莊嚴，觀音的溫柔，壽星、羅漢之類的詼諧等。能充分應用對比的手法，裝飾性極強，如雕像的衣服多取隨風飄舞之勢，而面部刻劃細膩，衣紋則深而洗練，主次分明。因德化瓷質優異，所以它的佛像大多追求單純的雕塑美，不加彩繪裝飾，瓷雕背部往往有小小的"何朝宗"、"林朝景"、"張素玉"等印記，其中以"何朝宗"最爲有名。

清代白瓷與明代白瓷相比，有一個很顯著的差別，就是它不像明代的那樣在釉中微微閃紅，而成"豬油白"色。清代的白瓷色澤是釉層微微閃青，因此，與明代瓷相比，就缺少了溫潤的感覺，這是胎、釉中所含氧化鐵增加的結果。

清代德化窯除了燒製白瓷外，也燒製青花與五彩瓷器，但常常是仿景德鎮青花的顏色，多數仿康熙、雍正時青花的呈色。五彩與康熙時期的相似，但仔細觀察，瓷胎與景德鎮的產品是不相同的。

江蘇宜興窯

宜興窯的紫砂器非常著名。紫砂器的原料是一種質地細膩、含鐵量最高的特殊陶土，因此呈現出赤褐、淡黃或紫黑等色。

紫砂器最早出現在宋代，至明代中期開始盛行。據文獻記載，明正德、嘉靖年間的龔春，最早把紫砂器推進到一個新的境界。在他之後，宜興紫砂器工藝迅速發展起來，到萬曆年間已是百品競新，名匠輩出了。見于文獻記載的有時朋、董翰、趙梁、元暢和李茂林。時朋之子時大彬，萬曆時人，是龔春以後最出色的巧匠，與他齊名的還有李大仲芳，徐大友泉，稱爲"三大"，另還有歐正春、邵文銀等。

上述這些民間巧匠製作的藝術品，在清初已經屬珍貴難得之物，後代仿製很多，因此，目前對于有些傳世的所謂明代紫砂壺，很難斷定其真偽。

前些年，在相傳爲龔春學藝場所的金砂寺遺址進行了調查，于該寺的任墅石灰山附近，發現了一處範圍較大的古龍窯群，是一個明代的缸窯遺址，在此找到了少量的紫砂器殘片。明代燒紫砂器大概并不是專窯燒造，而是與燒缸類器放在一起燒成的，祇是紫砂器放在好的窯位。因此，任墅石灰山的龍窯，很有可能就是附帶燒紫砂器的明窯的遺址。

八、瓷器的外銷與外銷瓷的生產

瓷器是中國古代重要的發明之一，對世界的物質文化做出了重大貢獻。然而中國瓷器的發展與瓷器的外銷有着密切的關係。瓷器在唐代社會上層人士中已被廣泛使用，唐人陸羽在他的《茶經》中就有"越磁類玉"、"邢磁類銀"的記載。外國人對中國人使用瓷器，是十分羨慕的。所以，唐代初期，瓷器開始是作爲禮品贈送的，可能在當時并不是有意開拓外銷市場，後來由于禮品贈送的數量是有限的，而瓷器又受到世界各國人民的廣泛喜愛，所以，瓷器就通過留易的形式從禮品轉化爲商品，來滿足當時國境外的大量需要。中國瓷器的外銷大致可以劃分爲幾個階段：

1.外銷瓷的開端

唐代初期，航海綫路未開通以前，瓷器的外銷是靠陸路即"絲綢之路"進行的。瓷器與絲綢不同，瓷器運輸不僅困難，而且破損率也很大，因而當時出口的瓷器在數量上是很少的。這時期的外銷瓷主要是兩個窯的產品，一個是浙江的越窯青瓷，一個是河北的邢窯白瓷。瓷器的造型是傳統的中國器型。

2.外銷瓷的發展

大約在公元9世紀，海上航綫的開通，造船業的大發展，以及航海技術的提高，爲中國瓷器的大量外銷創造了條件。外銷瓷的品種除了越窑青瓷和邢窑白瓷以外，河北的定窑白瓷以及湖南長沙窑的釉下彩瓷器也加入了外銷瓷的行列。9世紀以後，中國出口瓷器多爲越窑青瓷、定窑白瓷和長沙的釉下彩瓷器即所謂"三組合"。越窑青瓷與定窑白瓷多爲傳統的中國造型，祇有長沙窑瓷器的造型、紋飾是根據銷往國的需要而進行生產的。長沙窑是中國最早的專燒外銷瓷的瓷窑。

　　3.外銷瓷生產的轉移

　　入宋以後，爲了外銷的方便，減輕運輸上的損失，把瓷窑建在福建、廣東、浙江、江西等沿海地區。在浙江，除越窑青瓷外，又出現了龍泉青瓷，并逐漸代替了越窑青瓷。江西景德鎮的青白瓷也參加到外銷瓷的行列，它與龍泉窑青瓷一起組成了當時外銷瓷器的大宗商品。沿海地區的瓷窑的出口產品，多仿製龍泉青瓷與江西景德鎮的青白瓷。中國外銷瓷生產地轉移，外銷瓷器的品種也隨之發生了變化。因而，内地瓷窑的產品雖然還繼續外銷，但數量大爲減少。

　　4.景德鎮瓷器的外銷

　　元代瓷器的外銷，除了浙江的龍泉窑青瓷外，江西景德鎮的青花瓷器逐漸占了主導的地位，一直延沿續到明、清各個朝代。

　　瓷器的外銷與外銷瓷的生產，大大促進了中國瓷器的發展。上述瓷器外銷的四個階段與外銷瓷器的品種，是與中國瓷器發展的歷史相一致的。在一些國家和地區的古代遺址中，出土有越窑青瓷與白瓷，不見有長沙窑瓷器，説明是屬于第一階段即唐代前期的，白瓷可能爲邢窑的產品。出土有白瓷與越窑青瓷及長沙窑瓷時，屬于第二階段即唐代後期的，白瓷應多爲定窑的產品。出土有定窑白瓷與耀州窑青瓷而不見龍泉窑瓷的，爲宋代早期。出土有龍泉窑青瓷與江西景德鎮的青白瓷以及沿海地區瓷窑燒製的青瓷與青白瓷的，多爲宋代後期至元代。出土有青花瓷器的，爲元代及明清各個時期。

　　中國瓷器的生產，不僅是爲滿足國内的需要，而且也大量銷往世界各國。上述外銷瓷的發展史，與中國瓷器的發展史是相一致的。這一點，對國外出土中國瓷器的古代遺址斷代以及外銷瓷器的鑒定，也是相當重要的。

目　　録

陶　器

舊石器時代晚期至新石器時代（公元前一二〇〇〇年至公元前二〇〇〇年）

頁碼	名稱	時代	發現地	收藏地
67	彩陶鼓	馬家窯文化	甘肅永登縣	甘肅省蘭州市博物館
67	彩陶人頭像壺	馬家窯文化	青海樂都縣柳灣遺址	青海省彩陶研究中心
68	彩陶網紋平行條紋壺	馬家窯文化	青海同德縣宗日遺址	青海省文物考古研究所
68	彩陶雙人抬物紋盆	馬家窯文化	青海同德縣宗日遺址	青海省文物考古研究所
69	彩陶舞蹈紋盆	馬家窯文化	青海同德縣宗日遺址	青海省文物考古研究所
70	彩陶鳥紋壺	馬家窯文化	青海同德縣宗日遺址	青海省文物考古研究所
70	彩陶神人紋束頸壺	馬家窯文化	甘肅臨夏市	甘肅省臨夏回族自治州博物館
71	彩陶旋紋瓮	馬家窯文化	甘肅永登縣蔣家坪3號墓	甘肅省博物館
71	彩陶單耳帶流罐	馬家窯文化	甘肅永登縣中堡遺址	甘肅省博物館
72	彩陶人形浮雕壺	馬家窯文化	青海樂都縣柳灣遺址	中國國家博物館
73	彩陶螺旋紋壺	馬家窯文化	青海民和回族土族自治縣三家	青海省民和回族土族自治縣博物館
73	彩陶人頭飾壺	馬家窯文化	青海民和回族土族自治縣山城	青海省文物考古研究所
74	彩陶四繫罐	馬家窯文化	青海民和回族土族自治縣	青海省民和回族土族自治縣博物館
74	紅陶垂腹壺	卡若文化	西藏昌都縣卡若遺址	西藏博物館
75	紅陶雙體罐	卡若文化	西藏昌都縣卡若遺址	西藏博物館
75	黑陶三足鼎	龍山文化	山東日照市兩城鎮遺址	南京博物院
76	蛋殼黑陶高柄杯	龍山文化	山東日照市	山東省博物館
76	蛋殼黑陶套杯	龍山文化	山東濰坊市姚官莊遺址	山東省博物館
77	黃褐陶鬶	龍山文化	山東濰坊市姚官莊遺址	山東省博物館
78	黑陶鳥頭形足鼎	龍山文化	山東濰坊市姚官莊遺址	山東省博物館
78	黑陶高足豆	龍山文化	山東濰坊市姚官莊遺址	山東省博物館
79	黑陶罍	龍山文化	山東膠州市三里河村	中國國家博物館
80	黑陶高足杯	龍山文化	山東安丘市	中國國家博物館
80	黑陶觚	龍山文化	河南禹州市瓦店	河南省文物考古研究所
81	彩陶壺	龍山文化	山西襄汾縣陶寺遺址	中國社會科學院考古研究所
81	彩陶盆	龍山文化	山西襄汾縣陶寺遺址	中國社會科學院考古研究所
82	彩陶蟠龍紋盆	龍山文化	山西襄汾縣陶寺遺址	中國社會科學院考古研究所
83	彩陶圓底雙耳罐	齊家文化	甘肅蘭州市	甘肅省蘭州市博物館
83	彩陶三角折綫紋圓底罐	齊家文化	甘肅廣河縣齊家坪	甘肅省文物考古研究所
84	紅陶鳥形器	齊家文化	甘肅廣河縣	甘肅省臨夏回族自治州博物館
84	紅陶雙大耳壺	齊家文化	青海大通回族土族自治縣	青海省文物考古研究所

頁碼	名稱	時代	發現地	收藏地
85	灰陶鴨形器	夏	河南偃師市二里頭遺址	中國社會科學院考古研究所
85	灰陶折肩大口尊	夏	河南偃師市二里頭遺址	中國社會科學院考古研究所
86	灰陶爵	夏	河南偃師市二里頭遺址	中國社會科學院考古研究所
86	黑陶鬹	夏家店下層文化	內蒙古敖漢旗大甸子遺址	中國社會科學院考古研究所
87	彩繪陶鬲	夏家店下層文化	內蒙古敖漢旗大甸子遺址	中國社會科學院考古研究所
88	彩繪陶鬲	夏家店下層文化	內蒙古敖漢旗大甸子遺址	中國社會科學院考古研究所
88	彩繪陶雙腹罐	夏家店下層文化	內蒙古敖漢旗大甸子遺址	遼寧省博物館
89	彩繪陶假圈足罐	夏家店下層文化	內蒙古敖漢旗大甸子遺址	中國社會科學院考古研究所
89	彩繪四繫陶罍	夏家店下層文化	內蒙古敖漢旗大甸子遺址	中國社會科學院考古研究所
90	彩繪陶壺	夏家店下層文化	內蒙古敖漢旗大甸子遺址	中國社會科學院考古研究所
91	三角網格紋雙大耳罐	四壩文化	甘肅玉門市火燒溝115號墓	甘肅省文物考古研究所
91	刻劃人形紋雙耳罐	四壩文化	甘肅玉門市火燒溝152號墓	甘肅省文物考古研究所
92	彩陶人形罐	四壩文化	甘肅玉門市火燒溝遺址	甘肅省文物考古研究所
93	鷹形罐	四壩文化	甘肅玉門市火燒溝遺址	甘肅省文物考古研究所
93	彩陶三立犬帶蓋方鼎	四壩文化	甘肅玉門市火燒溝遺址	甘肅省博物館
94	灰陶夔斝	商	河南鄭州市商城遺址	河南省文物考古研究所
94	灰陶饕餮紋罍	商	河南鄭州市	河南博物院
95	灰陶雲雷紋簋	商	河南鄭州市	河南博物院
95	灰陶饕餮紋簋	商	河南鄭州市	河南省文物考古研究所
96	黑陶蓋壺	商	河南鄭州市	河南博物院
96	黑陶盉	商	河南偃師市商城遺址	中國社會科學院考古研究所
97	黑陶壺	商	河南鄭州市洛達廟遺址	河南省文物考古研究所
97	白陶雲雷紋豆	商	河南鄭州市	中國國家博物館
98	白陶雲雷紋瓿	商	河南安陽市	故宮博物院
99	灰陶竹節形高柄器座	商	陝西城固縣寶山遺址	陝西省西北大學歷史博物館
99	白陶刻花尊	商		上海博物館
100	彩陶雙耳罐	辛店文化	甘肅廣河縣城關溫家坪	甘肅省臨夏回族自治州博物館
100	彩陶雙耳罐	辛店文化	甘肅東鄉族自治縣達板桌子坪	甘肅省臨夏回族自治州博物館
101	彩陶大雙耳罐	辛店文化	甘肅東鄉族自治縣	甘肅省臨夏回族自治州博物館

秦漢（公元前二二一年至公元二二〇年）

頁碼	名稱	時代	發現地	收藏地
118	陶量	秦	內蒙古赤峰市	內蒙古自治區赤峰市博物館
118	陶馬形熏	秦	陝西咸陽市黃家溝磚廠	陝西省考古研究院
119	陶穀倉	秦	陝西西安市秦始皇陵	陝西歷史博物館
119	漆衣黑陶鼎	西漢	北京豐臺區大葆臺1號漢墓	北京市大葆臺西漢墓博物館
120	陶熏爐	西漢	湖南長沙市馬王堆1號漢墓	湖南省博物館
120	陶熏爐	西漢	河北邯鄲市錦花住宅區墓葬	河北省邯鄲市文物保護研究所
121	陶熏爐	西漢	廣西貴港市糧食倉庫15號墓	廣西壯族自治區博物館
121	陶匏形壺	西漢	遼寧喀喇沁左翼蒙古自治縣平房子鄉黃道營子村	遼寧省喀喇沁左翼蒙古自治縣博物館
122	陶雙繫帶蓋匏形壺	西漢	福建閩侯縣荊溪村廟後山	福建博物院
122	陶匏形壺	西漢	廣東廣州市海珠區	廣東省廣州博物館
123	陶鴟梟壺	西漢	遼寧大連市普蘭店花兒山鄉	遼寧省旅順博物館
123	陶五聯蓋罐	西漢	廣西貴港市	廣西壯族自治區博物館
124	漆繪陶鼎	西漢	江蘇徐州市簸箕山5號漢墓	江蘇省徐州博物館
125	彩繪陶鼎	西漢	河南三門峽市上村嶺7號墓	河南博物院
125	彩繪陶盒	西漢	河南洛陽市七里河10號墓	河南博物院
126	彩繪陶盒	西漢	河南洛陽市	河南省洛陽市文物工作隊
127	彩繪陶盒	西漢	陝西	陝西歷史博物館
127	彩繪陶繭形壺	西漢	陝西潼關縣蝎子山	河南博物院
128	彩繪陶壺	西漢	河南洛陽市燒溝125號墓	河南博物院
129	彩繪陶壺	西漢	河南三門峽市上村嶺7號墓	河南博物院
129	彩繪陶博山蓋壺	西漢	北京石景山區老山西漢墓	首都博物館
130	彩繪陶方壺	西漢	湖南長沙市馬王堆1號漢墓	湖南省博物館
131	彩繪陶人物縛蛇壺	西漢	河南滎陽市北邙鄉牛口峪	河南博物院
131	彩繪陶雙鳥怪獸壺	西漢	河南滎陽市北邙鄉牛口峪	河南博物院
132	彩繪陶三角紋瓿	西漢	河南三門峽市上村嶺7號墓	河南博物院
133	彩繪陶瓿	西漢	河南濟源市桐花溝	河南省文物考古研究所
133	彩繪陶囷	西漢	陝西西安市	陝西歷史博物館
134	醬黃釉陶盒	西漢	陝西西安市	陝西歷史博物館

頁碼	名稱	時代	發現地	收藏地
134	醬紅釉陶罐	西漢	陝西寶雞市鬥雞臺漢墓	北京大學賽克勒考古與藝術博物館
135	釉陶草葉紋罐	西漢	河南洛陽市吉利大化纤漢墓	河南省洛陽博物館
135	綠釉梟尊	西漢	河南三門峽市	河南省三門峽市文物工作隊
136	青釉鋪首水波紋陶瓿	西漢	江蘇揚州市農業科學研究所	江蘇省揚州博物館
136	青釉鋪首銜環陶壺	西漢	江蘇揚州市西湖鄉胡楊村	江蘇省揚州博物館
137	綠釉陶壺	西漢	浙江安吉縣	浙江省安吉縣博物館
137	青釉陶熏	西漢	江蘇儀徵市劉集聯營趙莊	江蘇省儀徵市博物館
138	陶屋	東漢	重慶忠縣塗井5號崖墓	重慶市博物館
138	陶船	東漢	廣東廣州市先烈路	中國國家博物館
139	陶刻花三羊鈕盒	東漢	廣西貴港市總倉庫10號墓	廣西壯族自治區博物館
139	陶刻花環耳帶蓋盒	東漢	廣西貴港市加工廠5號墓	廣西壯族自治區博物館
140	陶刻花多孔帶蓋簋	東漢	廣西貴港市東湖新村22號墓	廣西壯族自治區博物館
140	彩繪陶倉樓	東漢	河南榮陽市河王水庫1號墓	河南博物院
141	彩繪陶倉樓	東漢	河南焦作市	河南博物院
142	彩繪陶百戲俑尊	東漢	河南洛陽市七里河	河南省洛陽市文物工作隊
143	彩繪陶博山爐	東漢	河南洛陽市西工區	河南省洛陽市文物工作隊
144	綠釉狩獵紋陶壺	東漢	陝西西安市郭家村	中國國家博物館
145	綠釉陶尊	東漢	陝西咸陽市寶店5號墓	北京大學賽克勒考古與藝術博物館
145	青釉五聯罐	東漢	浙江臺州市黃岩區	浙江省台州市博物館
146	複色釉陶壺	東漢	河南濟源市	河南省文物考古研究所
146	彩繪釉陶壺	東漢	河南濟源市	河南省文物考古研究所
147	複色釉陶鼎	東漢	河南濟源市	河南省文物考古研究所
147	綠釉陶水榭	東漢	河南靈寶市張灣2號墓	河南博物院
148	綠釉陶樓	東漢	河南淮陽縣九女冢村	河南博物院
148	綠釉陶望樓	東漢	河南靈寶市張灣3號墓	河南博物院
149	綠釉陶樓	東漢	河南靈寶市張灣2號墓	河南博物院
150	綠釉九聯陶燈臺	東漢	北京平谷區西柏店	首都博物館
151	綠釉陶井	東漢	山東高唐縣	中國國家博物館
151	綠釉刻花陶壺	東漢	安徽合肥市	安徽省博物館
152	綠釉陶熊燈	東漢		上海博物館
152	綠釉人物形陶燈座	東漢		安徽省蚌埠市博物館
153	綠釉陶熊形燈	東漢		上海博物館
153	綠釉陶熏爐	東漢		廣東省博物館
154	綠釉陶尊	東漢		故宮博物院

頁碼	名稱	時代	發現地	收藏地
154	醬黃釉劃畫陶溫壺	東漢		廣東省博物館

南北朝至五代十國（公元四二〇年至公元九六〇年）

頁碼	名稱	時代	發現地	收藏地
155	青釉陶貼花瓶	北齊	山西太原市晋源區王郭村婁叡墓	山西省考古研究所
156	青釉陶螭柄鷄首壺	北齊	山西太原市晋源區王郭村婁叡墓	山西省考古研究所
156	青釉陶貼塑蓮花燈	北齊	山西太原市晋源區王郭村婁叡墓	山西省考古研究所
157	貼花陶罐	隋	江蘇揚州市邗江區蔣王鄉霍橋村	江蘇省揚州博物館
157	彩繪陶房	隋	河南洛陽市	河南博物院
158	陶象座象頭罐	唐	陝西西安市西郊製藥廠	陝西歷史博物館
159	彩繪陶山水圖瓶	唐	河南偃師市唐恭陵哀皇后墓	河南省偃師商城博物館
160	白釉壺	唐		故宮博物院
160	黃釉綠彩執壺	唐		故宮博物院
161	黃綠釉鸚鵡形提壺	唐	內蒙古和林格爾縣	內蒙古博物院
162	綠釉小口薰	唐	陝西西安市長安區北原唐墓	陝西省考古研究院
162	綠釉博山爐	唐	陝西西安市長安區北原唐墓	陝西省考古研究院
163	三彩龍耳瓶	唐		日本東京國立博物館
164	三彩長頸瓶	唐		日本東京國立博物館
164	三彩雙魚壺	唐	陝西西安市長安區南里王村	陝西省考古研究院
165	三彩貼花鳳首壺	唐		日本神户白鶴美術館
166	三彩鳳首瓶	唐	陝西西安市三橋藺家村	陝西省西安市文物保護考古所
166	三彩龍首壺	唐	江蘇揚州市倉巷	江蘇省揚州博物館
167	三彩塔式罐	唐	陝西西安市中堡村唐墓	陝西歷史博物館
168	三彩罐	唐	陝西西安市三橋唐墓	陝西歷史博物館
168	三彩寶相花紋罐	唐	河南洛陽市井溝朱家灣	河南省洛陽博物館
169	三彩貼花爐	唐	河南鞏義市黃冶唐三彩窑址	河南博物院
169	三彩模貼神獸三足簋	唐		江蘇省揚州市唐城遺址文物保管所
170	三彩鉢盂	唐	江蘇揚州市五臺山	江蘇省揚州博物館
170	三彩唾壺	唐	陝西西安市王家墳村唐墓	陝西歷史博物館
171	三彩盤	唐	陝西乾縣永泰公主墓	陝西歷史博物館
171	三彩印花蓮葉雲雁紋三足盤	唐		上海博物館

頁碼	名稱	時代	發現地	收藏地
172	三彩刻花三足盤	唐		故宮博物院
173	三彩印花飛鳥雲紋三足盤	唐		上海博物館
173	三彩三足花瓣盤	唐		故宮博物院
174	三彩刻花三足盤	唐		故宮博物院
174	三彩貼花六葉盤	唐		日本東京國立博物館
175	三彩束腰盤	唐	陝西富平縣李鳳墓	陝西歷史博物館
175	三彩盒	唐	陝西西安市韓森寨唐墓	陝西歷史博物館
176	三彩碗	唐	陝西乾縣永泰公主墓	陝西歷史博物館
176	三彩鴛鴦尊	唐	河南新安縣十村	河南博物院
177	三彩鳳首杯	唐	陝西西安市韓森寨唐墓	陝西歷史博物館
177	三彩象首杯	唐	陝西西安市中堡村唐墓	陝西歷史博物館
178	三彩榻	唐	陝西富平縣李鳳墓	陝西歷史博物館
178	三彩枕	唐	陝西西安市韓森寨唐墓	陝西歷史博物館
179	三彩鴛鴦紋枕	唐	河南洛陽市北邙山前李村唐墓	河南省洛陽博物館
179	三彩錢櫃	唐	陝西西安市王家墳村90號墓	陝西歷史博物館
180	三彩燈	唐	河南洛陽市吉利區	河南省洛陽市文物工作隊
181	三彩假山	唐	陝西西安市中堡村唐墓	陝西歷史博物館
182	陶透雕捲草紋棺	唐	新疆庫車縣麻札布坦古城遺址	新疆維吾爾自治區博物館
182	彩繪單耳罐	麴氏高昌	新疆吐魯番市阿斯塔那186號墓	新疆維吾爾自治區博物館
183	彩繪陶三足釜	麴氏高昌	新疆吐魯番市阿斯塔那116號墓	新疆維吾爾自治區博物館
183	三彩熏爐	渤海國	黑龍江寧安市三陵渤海國墓	黑龍江省文物考古研究所
184	三彩瓶	渤海國	吉林和龍市八家子鎮北大村	吉林省延邊朝鮮族自治州博物館
184	三彩虎枕	五代十國	陝西西安市黃雁村	陝西歷史博物館

遼北宋金（公元九一六年至公元一二三四年）

頁碼	名稱	時代	發現地	收藏地
185	陶鹿紋穹廬式骨灰罐	遼	內蒙古巴林左旗哈達英格鄉	內蒙古自治區巴林左旗博物館
185	白釉鐵銹花雞冠壺	遼		遼寧省博物館
186	白釉綠彩紐帶紋雞冠壺	遼		遼寧省博物館
186	綠釉貼花淨瓶	遼	北京密雲縣	首都博物館

頁碼	名稱	時代	發現地	收藏地
187	綠釉刻花鳳首瓶	遼	內蒙古興安盟突泉郭家屯	內蒙古博物院
187	綠釉鳳首瓶	遼	遼寧北票市水泉遼墓	遼寧省博物館
188	綠釉貼花雞冠壺	遼		遼寧省博物館
188	綠釉劃花貼塑火珠雙孩雞冠壺	遼		遼寧省博物館
189	綠釉雞冠壺	遼	內蒙古奈曼旗	吉林省博物院
189	綠釉竹節柄劃花瓜棱形注壺	遼		故宮博物院
190	綠釉注壺溫碗	遼	北京順義區木林鄉安辛莊遼墓	首都博物館
190	黃釉貼瓔珞紋注壺	遼		遼寧省博物館
191	黃釉葫蘆形執壺	遼	內蒙古奈曼旗	吉林省博物院
191	黃釉劃花牡丹紋長頸瓶	遼		遼寧省博物館
192	黃釉穿帶扁腹壺	遼	遼寧法庫縣葉茂臺遼墓	遼寧省博物館
193	黃釉印花套盒	遼	內蒙古翁牛特旗解放營子遼墓	內蒙古自治區赤峰市博物館
193	黃釉綠彩刻花蓮菊紋盤	遼	北京西城區甘家口	首都博物館
194	褐釉雞冠壺	遼	北京通州區侉店遼墓	首都博物館
195	褐釉猴形蓋鈕馬鐙壺	遼	北京順義區木林鄉安辛莊遼墓	首都博物館
195	三彩印花瓶	遼	吉林輝南縣輝發城	吉林省博物院
196	三彩龍紋執壺	遼	內蒙古赤峰市松山區	內蒙古自治區赤峰市文物商店
196	三彩釉印團鳳紋注壺	遼		遼寧省博物館
197	三彩水波流雲紋扁注壺	遼		遼寧省博物館
198	三彩摩羯形壺	遼	內蒙古科爾沁左翼中旗	內蒙古自治區科爾沁博物館
198	三彩鴛鴦形壺	遼	內蒙古赤峰市松山區	內蒙古自治區赤峰市博物館
199	三彩印花牡丹菊紋盤	遼		北京遼金城垣博物館
199	三彩碟	遼		故宮博物院
200	三彩印花方盤	遼		故宮博物院
200	三彩印牡丹花八方盤	遼		遼寧省博物館
201	三彩印花牡丹紋硯	遼	遼寧新民市巴圖營子	遼寧省博物館
201	三彩舞獅八角形硯	遼	內蒙古寧城縣小劉仗子	內蒙古博物院
202	三彩八角形硯	遼	內蒙古寧城縣頭道營子鄉埋王溝墓葬	內蒙古文物考古研究所
203	三彩舍利匣	北宋	河南新密市法海寺塔	河南博物院
204	綠釉獅蓋香爐	北宋	安徽宿松縣北宋墓	安徽省博物館
204	琉璃塔式罐	北宋	山西太原市小井峪	山西博物院
205	三彩刻花枕	北宋		廣東省廣州南越王墓博物館
205	三彩刻花枕	北宋		故宮博物院

頁碼	名稱	時代	發現地	收藏地
206	三彩印花枕	北宋		天津博物館
206	三彩聽琴圖枕	北宋	河南濟源市勛掌村	河南博物院
207	三彩黑地枕	北宋		故宮博物院
207	三彩貼花豆	北宋		故宮博物院
208	三彩瓶	北宋		首都博物館
208	陶仿古玉壺春瓶	金	內蒙古巴林左旗林東鎮	內蒙古博物院
209	綠釉獅形枕	金		廣東省廣州南越王墓博物館
209	三彩荷葉童子枕	金	河南上蔡縣二郎臺	河南博物院
210	三彩劃花人物腰形枕	金		廣東省廣州南越王墓博物館
210	三彩剔地刻嬰孩紋三瓣花形枕	金		廣東省廣州南越王墓博物館
211	三彩嬰戲紋長方枕	金		廣東省博物館
211	三彩雕花劃荷扇面枕	金	河北磁縣觀臺鎮	河北省邯鄲市博物館
212	三彩龜形壺	金	山東濟寧市	山東省濟寧市博物館
212	三彩劃龍紋盤	金		故宮博物院
213	三彩劃花鷺蓮紋碟	金		故宮博物院
213	三彩劃水草魚紋碟	金		故宮博物院

元明清（公元一二七一年至公元一九一一年）

頁碼	名稱	時代	發現地	收藏地
214	三彩釉熏爐	元	內蒙古呼和浩特市	內蒙古博物院
215	琉璃三彩龍鳳紋熏爐	元	北京西城區	首都博物館
216	珐華人物紋罐	明	山西長治市羅家莊	山西省長治市博物館
216	珐華花鳥紋罐	明		日本大阪市立東洋陶瓷美術館
217	珐華八仙紋罐	明	北京朝陽區太陽宮	首都博物館
218	珐華葫蘆瓶	明		山西博物院
218	珐華蓮池鴛鴦紋瓶	明		日本東京伊勢文化基金會
219	珐華堆貼菊花耳瓶	明		故宮博物院
219	珐華描金雲龍貫耳瓶	明		上海博物館
220	三彩釉鴨形香熏	明	江西景德鎮市珠山	上海博物館
221	琉璃蟠龍大爐	明		山西博物院
221	琉璃蟠龍瓷棺	明	山西長治市五馬村	山西博物院

陶　器

灰陶圓底罐

公元前12000–前8000年
江西萬年縣仙人洞遺址出土。
高21、口徑23厘米。
侈口圓底，內外飾繩紋。爲中國迄今發
現的最早陶器之一。
現藏中國國家博物館。

灰陶尖底罐

公元前10000–前8000年
湖南道縣玉蟾岩遺址出土。
侈口尖底，表面飾繩紋。
現藏湖南省文物考古研究所。

紅褐陶雙耳罐

後李文化

山東章丘市龍山鎮西河遺址出土。

高21.7、口徑20、底徑11厘米。

斂口，圓唇，鼓腹，矮圈足，腹上部飾雙耳，耳端飾泥餅蜂窩戳印紋。

現藏山東省文物考古研究所。

黃褐陶釜

後李文化

山東章丘市龍山鎮西河遺址出土。

高28.5、口徑27厘米。

大口，捲沿，尖圓底，素面。

現藏山東省文物考古研究所。

紅陶三足壺

裴李崗文化
河南新鄭市裴李崗遺址出土。
高23.2、口徑6.9厘米。
小口，雙耳，球形腹，三尖錐足。
現藏北京大學賽克勒考古與藝術博物館。

紅陶折肩雙耳壺

裴李崗文化
河南長葛市石固出土。
高17.8、口徑5厘米。
小口，長頸，折肩，深腹，平底，肩飾半月形雙耳。
現藏河南省文物考古研究所。

灰陶弦紋盂

磁山文化

河北武安市磁山村出土。

盂高16.5、支架高12.5厘米。

大口，雙耳，三足支架。器身飾四條弦紋。

現藏河北省文物研究所。

陶三足筒形罐

老官臺文化

陝西西安市臨潼區油槐鄉白家村遺址出土。

高40厘米。

大口，深筒形腹，三錐足。通體拍印繩紋。

現藏中國社會科學院考古研究所。

彩陶三足鉢
老官臺文化

陝西西安市臨潼區油槐鄉白家村遺址出土。

口徑33.4厘米。

敞口，圈底，下接三個錐形足。外壁拍印繩紋，口沿處
彩繪一周紅色寬帶紋。

現藏中國社會科學院考古研究所。

紅陶三足筒形罐（右圖）
老官臺文化

甘肅秦安縣大地灣遺址出土。

高34.4、口徑19.4厘米。

直口，沿外侈，深筒形腹，三錐足。口沿飾雙行鋸齒紋
帶條，腹部壓印繩紋。

現藏甘肅省博物館。

舊石器時代晚期至新石器時代（公元前一二○○○年至公元前二○○○年）

紅陶繩紋碗
老官臺文化
甘肅秦安縣大地灣遺址出土。
高7、口徑17.8厘米。
外壁飾拍印交叉的繩紋，內光素無紋。
現藏甘肅省博物館。

紅陶鉢
北辛文化
山東滕州市北辛村出土。
高7.1、口徑20.1厘米。
器身飾有序的指甲紋。
現藏山東省滕州市博物館。

黑陶多角沿釜
河姆渡文化
浙江餘姚市河姆渡遺址出土。
高22、口徑10厘米。
侈口，淺腹，圓底，肩部出多角凸脊，頸和腹部刻綫紋。
現藏浙江省博物館。

黑陶猪紋鉢
河姆渡文化
浙江餘姚市河姆渡遺址出土。
高11.7厘米。
圓角方形，平底。兩側壁刻猪紋。
現藏浙江省博物館。

舊石器時代晚期至新石器時代（公元前一二〇〇〇年至公元前二〇〇〇年）

紅陶勾柄圈足壺

公元前5000年－公元前3000年
江蘇高郵市龍虬莊遺址出土。
高10、口徑4.8厘米。
直口，扁鼓腹，喇叭形高圈足，
腹部置一羊角狀曲柄。
現藏江蘇省揚州博物館。

灰陶鏤孔高柄豆

公元前5000年－公元前3000年
江蘇高郵市龍虬莊遺址出土。
高20.2、口徑22.1厘米。
淺盤，竹節狀高圈足，圈足壁飾
鏤孔。
現藏江蘇省揚州博物館。

彩陶船形壺
仰韶文化
陝西寶雞市北首嶺遺址出土。
高15.6、 長24.8厘米。
壺兩肩外凸收縮成尖角，肩上有繫繩用的半圓形穿耳。
壺腹部兩側繪有黑彩斜方格紋，狀如魚網。
現藏中國國家博物館。

彩陶魚鳥紋細頸瓶
仰韶文化
陝西寶雞市北首嶺遺址出土。
高21.6、口徑2.1厘米。
瓶口部上包，中間留有出水的小孔。瓶身繪水鳥銜魚紋。
現藏中國國家博物館。

紅陶細頸錐紋壺

仰韶文化

陝西寶雞市北首嶺遺址出土。

高19.1、口徑4.2厘米。

杯口，細頸，球腹。壺身遍布錐刺紋。

現藏中國國家博物館。

彩陶鹿紋盆

仰韶文化

陝西西安市半坡遺址出土。

高16.2、口徑42厘米。

盆內繪四小鹿。以鹿爲紋飾，在半坡類型中罕見。

現藏陝西省西安半坡博物館。

彩陶人面魚紋盆

仰韶文化

陝西西安市半坡遺址出土。

口徑39.8厘米。

捲沿圓底。盆內繪一人面，人面兩側各有一小魚附于
耳部。

現藏中國國家博物館。

彩陶魚紋盆

仰韶文化
陝西西安市半坡遺址出土。
高17、口徑31.5厘米。
外壁以黑彩紋飾單體魚三尾，構成首尾相銜的連續紋飾。
現藏中國國家博物館。

紅陶指甲紋罐

仰韶文化
陝西西安市半坡遺址出土。
高17.8、口徑5厘米。
器身以指甲壓出花紋，別具一格。
現藏陝西省西安半坡博物館。

彩陶魚蛙紋盆
仰韶文化
陝西西安市臨潼區姜寨遺址出土。
口徑30.4厘米。
盆內飾蛙紋及對稱的魚紋。
現藏陝西省考古研究院。

彩陶刻符鉢
仰韶文化
陝西西安市臨潼區姜寨遺址出土。
口徑34.2厘米。
侈口，內面打磨光亮，外沿飾一周寬帶紋，紋內刻有符號。
現藏陝西省考古研究院。

彩陶細頸壺

仰韶文化

陝西西安市臨潼區姜寨遺址出土。

高9厘米。

細頸，圓肩，口部上包，有一小出水孔。

現藏陝西省考古研究院。

彩陶尖底罐

仰韶文化

陝西西安市臨潼區姜寨遺址出土。

高18厘米。

捲沿，鼓腹，尖底。面飾三角折綫紋。

現藏陝西省考古研究院。

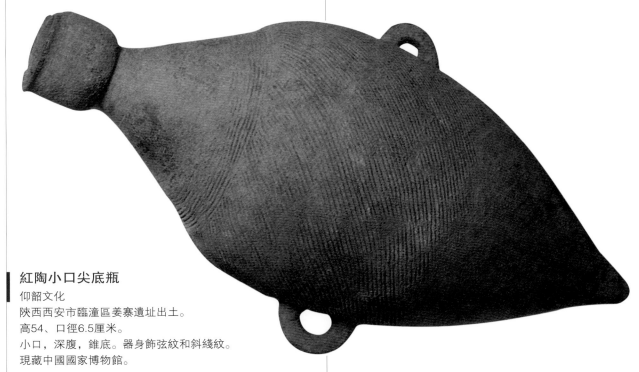

紅陶小口尖底瓶

仰韶文化

陝西西安市臨潼區姜寨遺址出土。

高54、口徑6.5厘米。

小口，深腹，錐底。器身飾弦紋和斜綫紋。

現藏中國國家博物館。

彩陶花卉紋盆

仰韶文化

河南陝縣廟底溝遺址出土。

口徑20.3厘米。

捲沿曲腹。外壁上段用弧形三角和圓點構成五瓣花形紋飾。

現藏中國國家博物館。

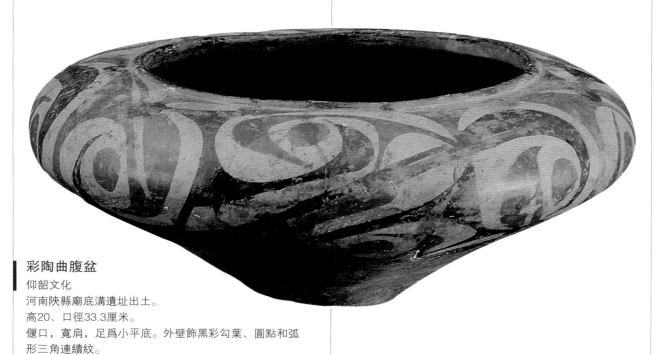

彩陶曲腹盆

仰韶文化

河南陝縣廟底溝遺址出土。

高20、口徑33.3厘米。

偃口，寬肩，足爲小平底。外壁飾黑彩勾葉、圓點和弧形三角連續紋。

現藏陝西省西安半坡博物館。

彩陶鉢

仰韶文化

河南鄭州市後莊王村出土。

高17、口徑22.5厘米。

圓肩，深腹微內收。口部繪小方格紋，肩部和腹部繪三角紋。

現藏河南省文物考古研究所。

彩陶雙聯瓶

仰韶文化

河南鄭州市大河村出土。

高20厘米。

兩瓶腹部相聯，外側各有一耳，瓶身施紅色陶衣，繪黑彩弦紋，其間填繪三竪道或三斜道圖案。

現藏河南省鄭州市大河村遺址博物館。

彩陶曲腹盆

仰韶文化

陝西華縣泉護村遺址出土。

高13.8、口徑40厘米。

器表施紅色陶衣，繪黑彩圓點花瓣紋。

現藏北京大學賽克勒考古與藝術博物館。

黑陶鴞鼎

仰韶文化
陝西華縣泉護村遺址出土。
高36厘米。
器做鴞形，鴞目瞵視，威嚴莊重。
現藏中國國家博物館。

彩陶鸛魚石斧紋缸
仰韶文化

河南汝州市閻村遺址出土。

高40.7厘米。

口沿下有六個泥突。器壁繪一隻高大的白鸛，口中銜
魚，右側立一柄華麗的石斧。

現藏中國國家博物館。

舊石器時代晚期至新石器時代（公元前一二〇〇〇年至公元前二〇〇〇年）

彩陶人首口瓶

仰韶文化
甘肅秦安縣大地灣遺址出土。
高31.8厘米。
口部塑一人頭形象。瓶身繪幾何紋飾。
現藏甘肅省博物館。

彩陶鯢魚紋瓶

仰韶文化
甘肅甘谷縣西坪遺址出土。
高30.8厘米。
器身帶耳。壁飾黑彩鯢魚一尾。
現藏甘肅省博物館。

彩陶葫蘆形瓶（右圖）
仰韶文化
甘肅張家川回族自治縣出土。
高27、口徑3.2厘米。
瓶身繪黑彩紋。
現藏甘肅省文物考古研究所。

黑陶龍紋尊
公元前4800年
內蒙古敖漢旗趙寶溝遺址出土。
高25.5厘米。
器物腹部結合網格紋和陰綫刻劃了鳥、猪、鹿等動物
圖案。
現藏中國社會科學院考古研究所。

灰陶帶座罐（右圖）

公元前4500年-前3500年
江蘇金壇市西崗鎮三星村遺址出土。
高14.4、口徑5、底徑8.2厘米。
器物造型別致，器表光素無紋。
現藏南京博物院。

彩陶尊

公元前4500年-前3500年
江蘇金壇市西崗鎮三星村遺址出土。
高13.8、口徑9.6、足徑11.6厘米。
大口，口沿外撇，腹部有耳。腹部與圈足上部各有兩
周弦紋。
現藏南京博物院。

紅陶刻紋尊

公元前4500年－前3500年
江蘇金壇市西崗鎮三星村遺址出土。
高8.6、口徑7.2、足徑9厘米。
器身施紅色陶衣，圈足處鏤刻
紋飾。
現藏南京博物院。

彩陶罐

大溪文化
重慶巫山縣大溪遺址33號
墓出土。
高14.4、口徑11.2厘米。
器身繪飾四組對稱的紅、
黑彩幾何圖案。
現藏四川博物院。

舊石器時代晚期至新石器時代（公元前一二○○○年至公元前二○○○年）

紅陶球
大溪文化
重慶巫山縣大溪遺址出土。
左長徑6、中直徑4.4、右直徑5.4厘米。
器表有錐刺紋及鏤孔。
現藏四川博物院。

白陶印紋盤
大溪文化
湖南安鄉縣湯家崗出土。
高7.5、口徑19.5厘米。
盤外壁壓印幾何形紋飾。
現藏湖南省博物館。

白衣紅陶印紋盤

大溪文化

湖南安鄉縣湯家崗出土。

高6.5、口徑19厘米。

器身施紅陶衣，從口沿至圈足相間飾圓點紋、
繩紋、聯珠紋等紋飾。

現藏湖南省博物館。

彩陶瓶

大溪文化

湖南安鄉縣湯家崗出土。

高16、口徑6.7厘米。

敞口，小唇沿，短頸，長圓腹。飾黑彩斜綫、
繩紋、斜格、旋綫等紋飾。

現藏湖南省博物館。

灰陶人首瓶

馬家浜文化

浙江嘉興市大墳遺址出土。

高21厘米。

瓶頂端塑成一小人首，五官清晰可見，腦後一上翹的鴨嘴形髻，髻上帶孔，頸細長，胸前開一圓孔。

現藏浙江省嘉興博物館。

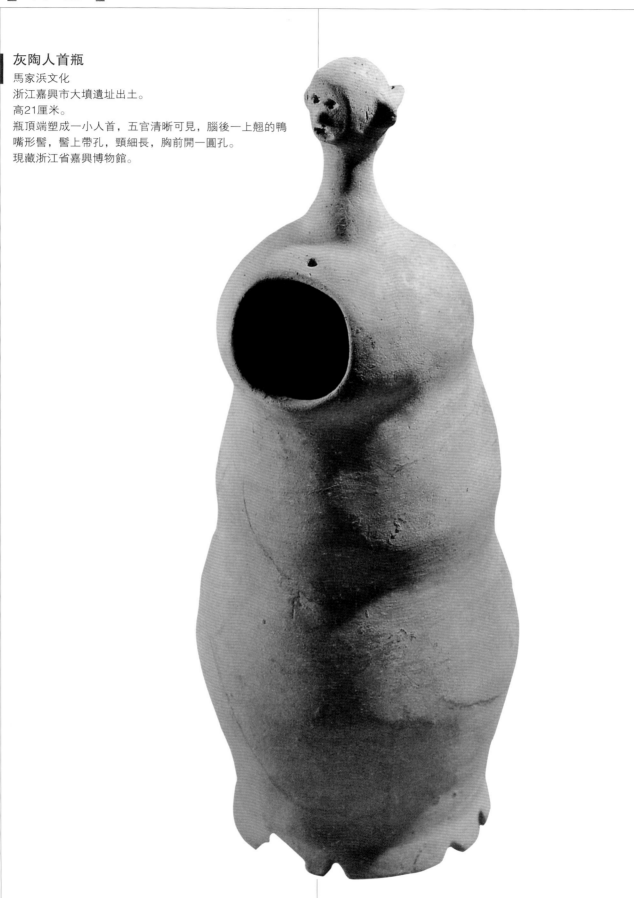

灰陶鬶

馬家浜文化

上海松江區湯廟村遺址出土。

高31.5、口徑21.5厘米。

敞口，出沿，深直腹，折底，下接扁鑿形足。腹部貼飾附加堆紋的棱邊，下腹壁刻劃粗簡的纏連索帶紋。

現藏上海博物館。

鏤孔黑衣陶壺

馬家浜文化

上海青浦區寺前村出土。

高15.8厘米。

器表施黑陶衣。通體鏤空，腹部爲兩層三角與圓形相間的紋飾，輔以雙刻綫紋。圈足底沿爲別致的花瓣式。

現藏上海博物館。

舊石器時代晚期至新石器時代（公元前二二〇〇〇年至公元前二〇〇〇年）

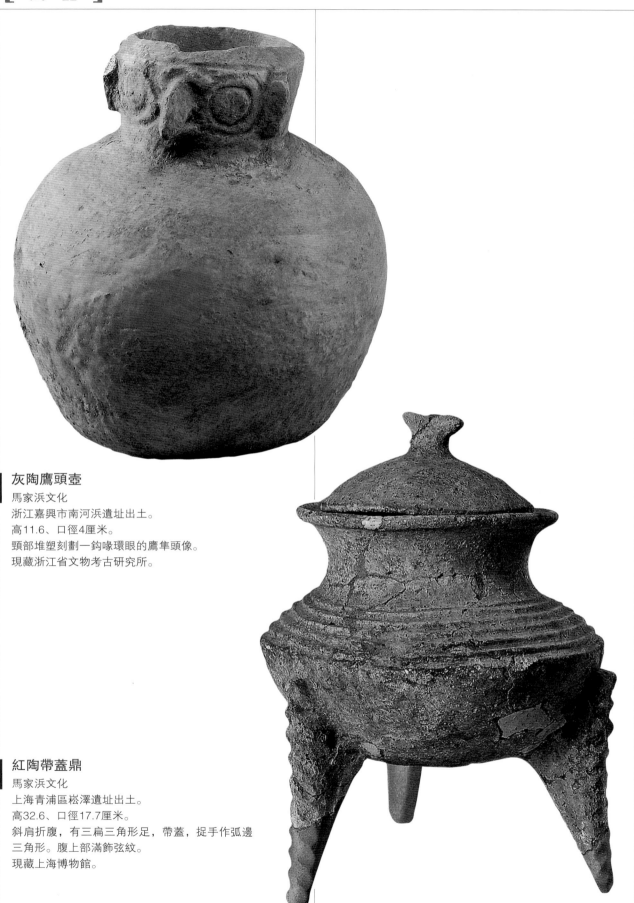

灰陶鷹頭壺
馬家浜文化
浙江嘉興市南河浜遺址出土。
高11.6、口徑4厘米。
頭部堆塑刻劃一鈎喙環眼的鷹隼頭像。
現藏浙江省文物考古研究所。

紅陶帶蓋鼎
馬家浜文化
上海青浦區崧澤遺址出土。
高32.6、口徑17.7厘米。
斜肩折腹，有三扁三角形足，帶蓋，捉手作弧邊
三角形。腹上部滿飾弦紋。
現藏上海博物館。

紅陶扁鑿足鼎

馬家浜文化

上海青浦區崧澤遺址出土。
高26.7、口徑29.6厘米。
深腹，三扁形足。外壁飾數周弦紋。
現藏上海博物館。

彩繪陶豆

馬家浜文化

上海青浦區崧澤遺址出土。
高21、口徑17.4厘米。
腹外壁彩繪幾何形紋飾。
現藏上海博物館。

灰陶剔刺紋鏤孔豆
馬家浜文化
上海青浦區崧澤遺址出土。
高14.3厘米。
豆足以弧形三角和圓形組成的鏤空圖案爲主紋，周圍飾
剔刺紋。
現藏上海博物館。

舊石器時代晚期至新石器時代（公元前一二〇〇〇年至公元前二〇〇〇年）

黑陶刻紋蓋罐
馬家浜文化
上海青浦區崧澤遺址出土。
高26.2、口徑15.2厘米。
器外壁刻幾何形紋飾。
現藏上海博物館。

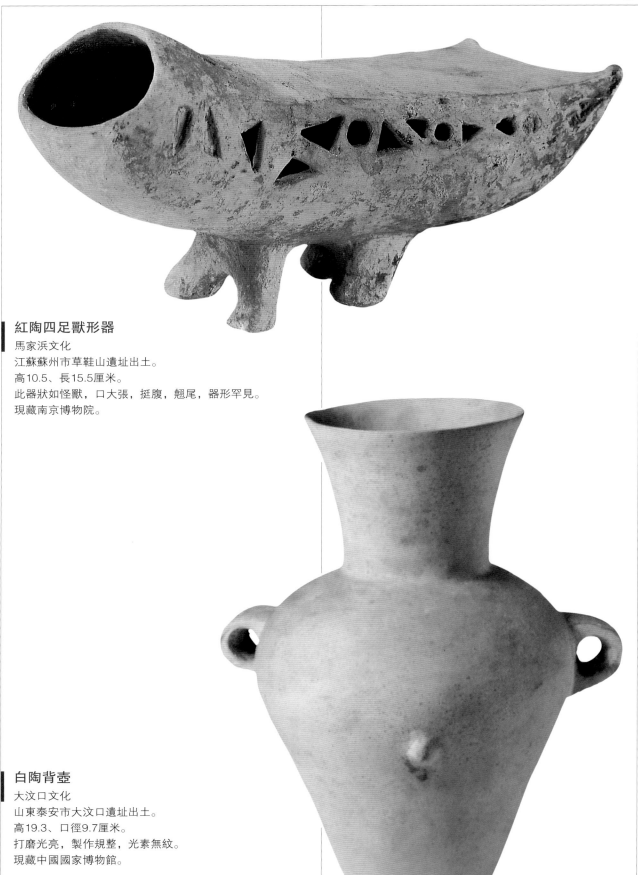

紅陶四足獸形器

馬家浜文化

江蘇蘇州市草鞋山遺址出土。

高10.5、長15.5厘米。

此器狀如怪獸，口大張，挺腹，翹尾，器形罕見。

現藏南京博物院。

白陶背壺

大汶口文化

山東泰安市大汶口遺址出土。

高19.3、口徑9.7厘米。

打磨光亮，製作規整，光素無紋。

現藏中國國家博物館。

紅陶獸形壺

大汶口文化
山東泰安市大汶口遺址出土。
高21.6厘米。
此獸昂首張口，四足直立，背有提梁和管狀口。
現藏山東省博物館。

彩陶雙耳三角紋壺

大汶口文化
山東泰安市大汶口遺址出土。
高17、口徑7.1厘米。
器外壁飾黑、白彩捲雲紋、弦紋、三角紋等圖案。
現藏中國國家博物館。

彩陶網紋背壺

大汶口文化
山東泰安市大汶口遺址出土。
高30.5、口徑10.4厘米。
圓肩，深腹，小平底。腹部飾一對環形耳，另一側有
橫鼻。肩和上腹部繪連續三角網紋，兩耳間繪連續菱
形網紋。
現藏山東省博物館。

舊石器時代晚期至新石器時代（公元前一二〇〇〇年至公元前二〇〇〇年）

彩陶豆

大汶口文化

山東泰安市大汶口遺址出土。

高29.3厘米。

侈口寬沿，深腹下接喇叭形高足。腹部繪飾五枚白色八角星，間以雙竪綫，星中央爲方孔，露出紅色陶衣。圈足上繪兩周相對半弧紋。

現藏山東省文物考古研究所。

彩陶缸

大汶口文化

山東泰安市大汶口遺址出土。

高31、口徑32厘米。

器表施紅色陶衣。腹上部飾白彩"几"字紋和黑地白色
雷形幾何紋。

現藏山東省文物考古研究所。

灰陶刻紋尊（右圖）

大汶口文化

山東莒縣陵陽河遺址出土。

高52厘米。

通體飾籃紋，腹部陰刻太陽、月亮、山峰重疊成的圖
案。有學者釋爲"旦"字。

現藏山東省莒縣博物館。

舊石器時代晚期至新石器時代（公元前一二〇〇〇年至公元前二〇〇〇年）

黃白陶號角

大汶口文化

山東莒縣陵陽河遺址出土。

長39厘米。

號身刻三組微凸的弦綫，間以斜紋綫。

現藏山東省文物考古研究所。

灰陶鳥首蓋高柄杯

大汶口文化

山東莒縣陵陽河出土。

高17.4、口徑7.4、底徑4.6厘米。

斗笠式蓋，蓋上塑鳥首狀鈕，杯腹部飾三周凸弦紋，杯下爲覆盤式足。

現藏山東省文物考古研究所。

白陶高柄杯

大汶口文化
山東諸城市前寨遺址75號墓出土。
高27.1厘米。
細高柄，喇叭形圈足，柄部有圓形、三角形和菱形鏤孔。
現藏北京大學賽克勒考古與藝術博物館。

白陶鬹

大汶口文化
山東諸城市前寨遺址85號墓出土。
高22.7厘米。
前衝流，單絞耳，空袋足。器腹部飾一周附加堆紋。
現藏北京大學賽克勒考古與藝術博物館。

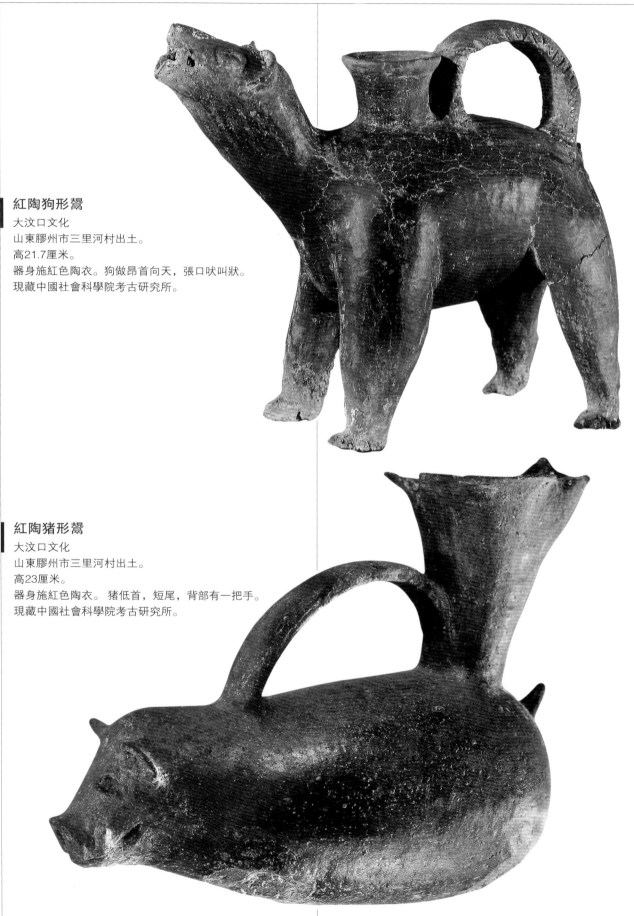

红陶狗形鬹

大汶口文化

山東膠州市三里河村出土。

高21.7厘米。

器身施红色陶衣。狗做昂首向天，張口吠叫狀。

現藏中國社會科學院考古研究所。

红陶猪形鬹

大汶口文化

山東膠州市三里河村出土。

高23厘米。

器身施红色陶衣。猪低首，短尾，背部有一把手。

現藏中國社會科學院考古研究所。

紅陶獸形鬶

大汶口文化

山東膠州市三里河村出土。

直徑18.8厘米。

器表磨光，狀如異獸。腹迴環成捲筒狀，四足支撐，腹上有獸首流，獸尾前甩構成提梁。

現藏山東省膠州市博物館。

黑陶高柄杯（右圖）

大汶口文化

山東膠州市三里河村出土。

高20.3、口徑7.9厘米。

杯通體光素無紋，杯柄有圓形和三角形鏤孔。

現藏中國社會科學院考古研究所。

舊石器時代晚期至新石器時代（公元前一二○○○年至公元前二○○○年）

灰褐陶鳥形鬹

大汶口文化

山東長島縣北莊遺址出土。

高19、長23.5厘米。

器如鳥形，首部作鳥喙狀流，尾部上翹，略作喇叭形口。器身兩側各附一弧形短翼，下部接圓錐形三足。器表有附加的鋸齒帶狀堆紋。

現藏北京大學賽克勒考古與藝術博物館。

彩陶渦紋鼎

大汶口文化

山東廣饒縣五村出土。

高24.2厘米。

鼎身飾彩色渦紋。

現藏山東省文物考古研究所。

彩陶花瓣紋觚

大汶口文化

山東兗州市王因村出土。

高16.5、口徑12.2厘米。

通體施紅色陶衣。腹部繪黑色樹葉花瓣紋。

現藏山東省濟寧市博物館。

黑陶鏤孔高柄杯

大汶口文化

高21.7、口徑7.25厘米。

表面光亮。細長柄，上有圓形鏤孔。

現藏上海博物館。

紅陶連柵紋鼎
大汶口文化
江蘇邳州市大墩子遺址出土。
殘高25.7、口徑25.5厘米。
腹部施紫紅衣，上下緣以白弦
紋爲界，内飾黑彩條帶紋和白
彩連柵紋。
現藏南京博物院。

紅陶八角星紋盆
大汶口文化
江蘇邳州市大墩子遺址出土。
高18.5、口徑33厘米。
沿面先施白衣，再繪以紅、黑
彩斜綫與竪綫連續圖案。腹部
滿施紅衣，下緣以白綫爲界，
内勾七個空心八角星與雙竪綫
組成的連續圖案。
現藏南京博物院。

紅陶花瓣紋壺
大汶口文化
江蘇邳州市大墩子遺址出土。
高19.5、口徑7.5厘米。
器表滿施紅衣，上部飾黑白彩連弧三角紋和花瓣紋。
現藏南京博物院。

紅陶花瓣紋背壺
大汶口文化
江蘇邳州市大墩子遺址出土。
高44.6、口徑14.9厘米。
器表滿施紅衣。腹前上部用黑、白彩勾畫組合花瓣圖
案。腹後上部有繫繩用的環形耳。
現藏南京博物院。

紅陶連柵紋三足鉢

大汶口文化
江蘇邳州市大墩子遺址出土。
高25、口徑29.5厘米。
腹上部先施紅色陶衣，下部
以白色弦紋爲界，口沿部繪
白彩連柵紋。
現藏南京博物院。

紅陶對稱花瓣紋器座

大汶口文化
江蘇邳州市大墩子遺址出土。
高24、口徑19厘米。
器壁有穿孔。器身飾黑、白
彩花瓣紋及連柵紋。
現藏南京博物院。

紅陶鏤孔器

大汶口文化
江蘇新沂市花廳出土。
高33.2厘米。
器身堆飾三周凸棱，棱間分兩層各有六組鏤孔。肩部的
六個鏤孔與脛部的十個鏤孔遙相呼應。
現藏南京博物院。

紅陶雙耳雙口壺

紅山文化
內蒙古翁牛特旗大南溝遺址出土。
高21.3厘米。
扁圓卵形腹，上接一對并列的高頸小口，中間有凸起
的乳釘。
現藏內蒙古自治區赤峰市博物館。

紅陶燕形壺

紅山文化

內蒙古翁牛特旗大南溝遺址出土。

高36厘米。

燕嘴大而誇張，直頸，鼓腹。胸前、尾下有繫孔。頭頸及身上有黑色紋綫。

現藏內蒙古自治區赤峰市博物館。

彩陶器蓋

紅山文化

內蒙古察哈爾右翼前旗廟子溝遺址出土。

高19.5、口徑21.4厘米。

表面塗黃色陶衣。內空有物，搖之有聲。上有三個相通的圓孔。器身繪飾黑、紫紅色幾何紋樣。

現藏內蒙古博物院。

彩陶蓋罐

紅山文化

遼寧朝陽市牛河梁遺址出土。

高40.2厘米。

小口覆蓋，圓肩，鼓腹下收，小平底，腹兩側各有一小
耳。器表繪飾黑彩渦紋。

現藏遼寧省文物考古研究所。

紅陶筒形器（右圖）

紅山文化

遼寧凌源市三官甸子墓出土。

高40、口徑26厘米。

中空無底。器身繪六層黑彩三角勾連紋。

現藏遼寧省博物館。

彩繪陶壺

良渚文化

江蘇蘇州市澄湖遺址出土。

高10.6厘米。

表面施黑色陶衣。頸部滿塗黃色，

腹部繪兩組繩索紋，間以弦紋。

現藏江蘇省蘇州博物館。

灰陶鱉形壺

良渚文化

江蘇蘇州市澄湖遺址出土。

腹徑17厘米。

表面塗黑色陶衣。口大張作壺嘴，腹背貼鋸齒形裙邊，

四隻小爪附繫孔。

現藏江蘇省蘇州博物館。

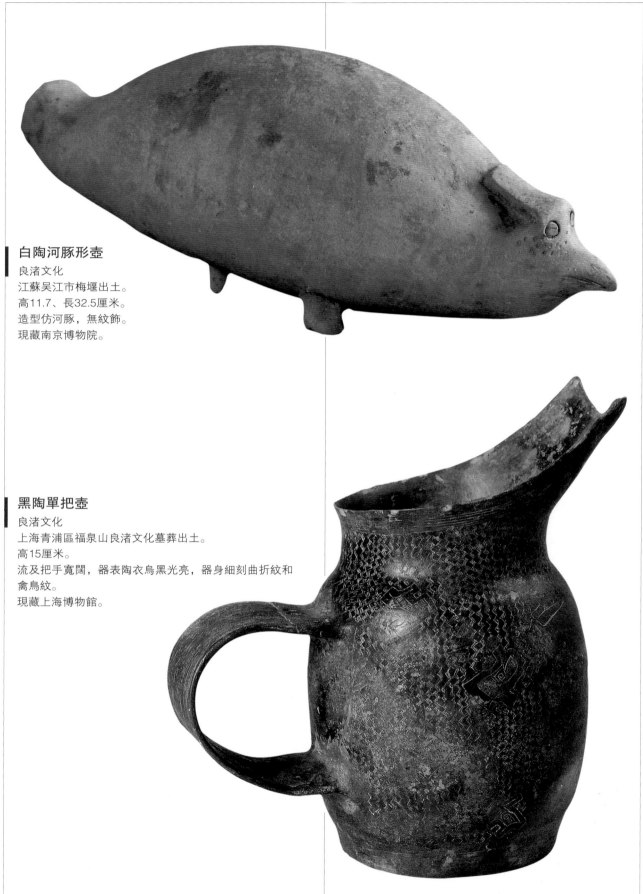

白陶河豚形壺
良渚文化
江蘇吳江市梅堰出土。
高11.7、長32.5厘米。
造型仿河豚，無紋飾。
現藏南京博物院。

黑陶單把壺
良渚文化
上海青浦區福泉山良渚文化墓葬出土。
高15厘米。
流及把手寬闊，器表陶衣烏黑光亮，器身細刻曲折紋和
禽鳥紋。
現藏上海博物館。

黑陶蓋罐

良渚文化

上海青浦區出土。

高25厘米。

蓋如喇叭形，飾三道弦紋。罐腹扁圓，高圈足上有三組弧邊三角形和橄欖形鏤孔。表面有殘留的紅褐色寬帶紋。

現藏上海博物館。

彩陶紡輪

屈家嶺文化

湖北京山縣屈家嶺遺址出土。

直徑3.4–3.9厘米。

中有穿孔，表面繪紅色綫紋。

現藏湖北省博物館。

紅陶鏤孔器座

屈家嶺文化

湖北房縣七里河遺址出土。

高25.2、口徑22.7厘米。

口微侈，圓唇。器身紋飾分爲上下兩組，各爲一周
"S"形捲雲紋連接組成的鏤孔紋飾。

現藏湖北省博物館。

彩陶壺

屈家嶺文化

河南淅川縣黃楝樹遺址出土。

高17.1、口徑8.4厘米。

器身彩繪紅、黑相間的旋紋。

現藏河南博物院。

舊石器時代晚期至新石器時代（公元前一二〇〇〇年至公元前二〇〇〇年）

黑陶高足杯

屈家嶺文化

河南淅川縣黃楝樹遺址出土。

高19.5、口徑7.5厘米。

表面光亮。侈口，平底，柄下方有鏤孔，表面陰刻折綫紋及弦紋。

現藏河南博物院。

彩陶器座

屈家嶺文化

河南淅川縣下王崗出土。

高15.6、口徑10.6、底徑8.6厘米。

器座中部用黑彩繪製出許多三角紋橫向相連組成的几何形圖案。

現藏河南省文物考古研究所。

彩陶變體鯢魚紋瓶

馬家窰文化

甘肅禮縣石溝坪出土。

高43.6、口徑8.8、底徑9.9厘米。

瓶腹上部繪變體鯢魚紋，下部繪變體鳥紋。

現藏甘肅省禮縣博物館。

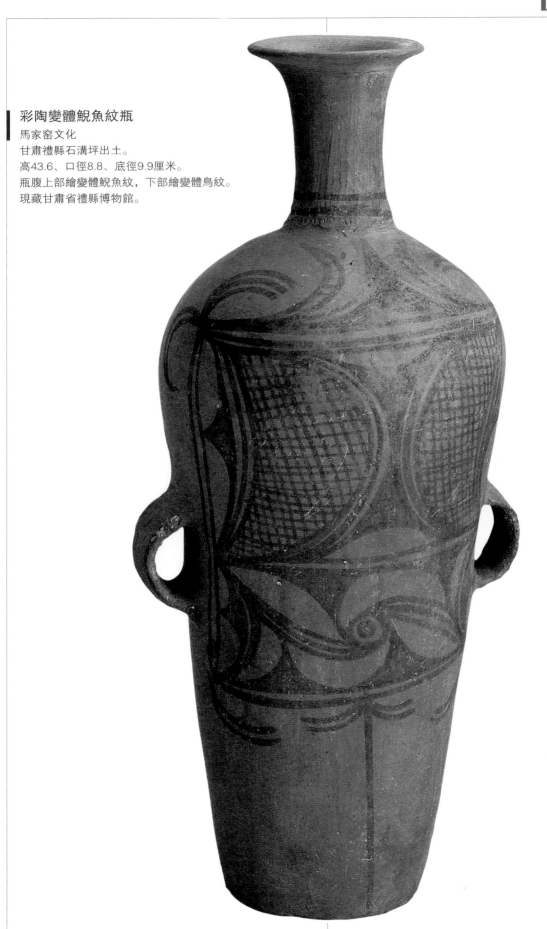

舊石器時代晚期至新石器時代（公元前一二〇〇〇年至公元前二〇〇〇年）

舊石器時代晚期至新石器時代（公元前一二〇〇〇年至公元前二〇〇〇年）

黑彩鯢魚紋瓶（右圖）
馬家窰文化
甘肅武山縣傅家門出土。
高18.3、口徑5.6厘米。
瓶腹部繪曲體鯢魚紋。
現藏甘肅省博物館。

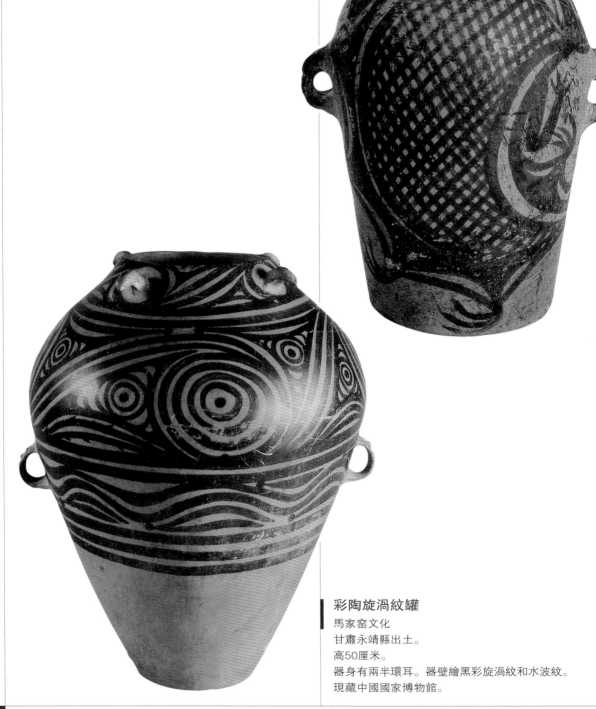

彩陶旋渦紋罐
馬家窰文化
甘肅永靖縣出土。
高50厘米。
器身有兩半環耳。器壁繪黑彩旋渦紋和水波紋。
現藏中國國家博物館。

彩陶旋紋瓶

馬家窯文化

甘肅蘭州市杏湖臺出土。

高25.5、口徑7.7、底徑7厘米。

瓶腹部以兩面的中心大圓與兩側的小圓爲旋心，

繪黑色旋紋。

現藏甘肅省博物館。

舊石器時代晚期至新石器時代（公元前一二〇〇〇年至公元前二〇〇〇年）

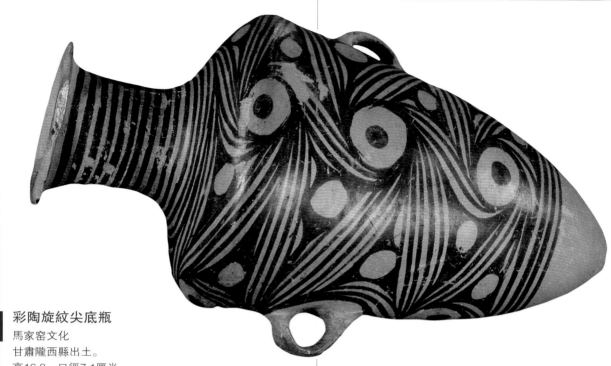

彩陶旋紋尖底瓶

馬家窰文化

甘肅隴西縣出土。

高16.8、口徑7.1厘米。

侈口，直頸，寬肩，尖底，腹部有雙耳。器表施淺紅色
陶衣，繪黑色四方連續旋紋和平行直綫紋等。

現藏甘肅省博物館。

彩陶十字圓圈紋曲腹盆

馬家窰文化

甘肅武威市涼州區韓佐鄉五壩山1號墓出土。

高18、口徑27.7、底徑10.4厘米。

盆內外壁均施黑彩，外壁繪以平行豎帶紋分隔的方形空
間，內填"U"形紋。內壁繪弧邊三角紋、平行綫紋和
十字圓圈紋。

現藏甘肅省文物考古研究所。

彩陶水波紋盆

馬家窰文化

甘肅積石山保安族東鄉族撒拉族自治縣水地陳家出土。
高10.5、口徑28厘米。
器內面以綫條組成同心圓和弧綫三角紋，同心圓中有旋
轉的曲綫及圓點。
現藏甘肅省臨夏回族自治州博物館。

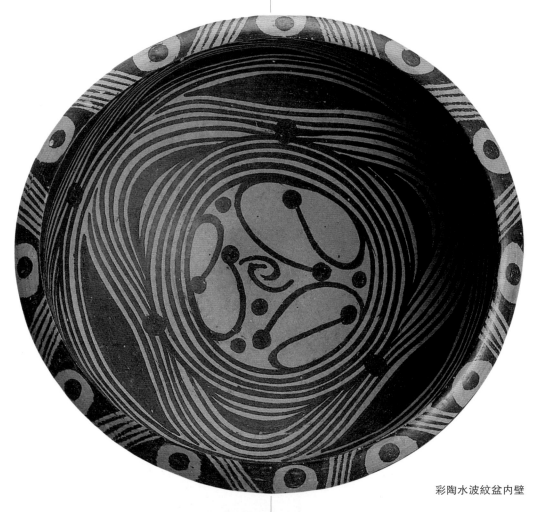

彩陶水波紋盆內壁

彩陶瓶

馬家窯文化

青海民和回族土族自治縣出土。

高28.5、口徑13厘米。

器身繪黑彩網紋、十字圓圈紋、水波紋及弦紋。

現藏青海省文物考古研究所。

彩陶同心圓圈波紋盆
馬家窰文化
青海民和回族土族自治縣出土。
高11.8、口徑29.7厘米。
斂口，扁鼓腹。內外施黑彩，盆沿繪弧綫三角圓點波紋，盆內以底爲圓心繪同心圓圈紋、弧綫紋和波紋。
現藏青海省文物考古研究所。

彩陶舞蹈紋盆
馬家窰文化
青海大通回族土族自治縣上孫家寨遺址出土。
高14、口徑28厘米。
器內壁飾三組舞蹈紋，五人一組，動作整齊有韻律。每組間以平行弧綫及粗斜綫分隔。
現藏中國國家博物館。

彩陶壺

馬家窯文化
甘肅蘭州市沙井驛遺址出土。
高32.5、口徑12厘米。
紋飾以紅、黑彩繪四大圈旋紋，圈內施菱格紋、
網紋和圓點紋。
現藏甘肅省博物館。

彩陶旋紋帶流罐

馬家窰文化

甘肅蘭州市關廟坪出土。

高33.2、口徑9.2、底徑15.1厘米。

罐肩部飾紅、黑兩色相間的旋紋，腹部飾紅、黑兩色相間的帶紋。

現藏甘肅省博物館。

彩陶旋紋壺

馬家窰文化

甘肅蘭州市花寨子18號墓出土。

高21.9、口徑14.4、底徑10.8厘米。

壺口內繪數道弧綫紋和短竪帶紋。腹部飾紅、黑兩色相間的旋紋。

現藏甘肅省博物館。

彩陶菱格紋壺

馬家窯文化

甘肅廣河縣地巴坪遺址出土。

高34.5、口徑17厘米。

口沿及頸、肩至上腹部繪紅、黑彩菱格紋、

米字紋、鋸齒紋、弦紋及波浪紋。

現藏甘肅省博物館。

彩陶菱格葉紋壺

馬家窯文化

甘肅景泰縣張家臺遺址出土。

高19.5、口徑8.4厘米。

頸部用黑彩繪網格紋，肩腹部繪飾菱
紋、葉紋、弧綫紋和鋸齒紋。

現藏甘肅省博物館。

彩陶短頸壺

馬家窯文化

甘肅定西市安定區石峽灣鄉徵集。

高41.2、口徑14.3、底徑11.5厘米。

壺口內繪黑彩垂弧紋，頸部繪黑彩斜綫紋。腹部圖案分
三層，第一層繪黑色鋸齒紋平行條帶，第二層繪十二組
相聯的"个"字紋飾，第三層繪垂弧紋及水波紋。每層
圖案以兩條黑色鋸齒紋及一條紅色條帶紋間隔。

現藏甘肅省定西市博物館。

舊石器時代晚期至新石器時代（公元前一二〇〇〇年至公元前二〇〇〇年）

彩陶葫蘆網格紋長頸壺

馬家窰文化

甘肅廣河縣地巴坪遺址出土。

高35.5、口徑10.7、底徑12.2厘米。

壺頸部有一對鷄冠小耳，腹部有一對橋形

耳。頸部飾網格紋及三角紋，肩部爲同

心圓，腹部繪六組葫蘆網格紋。

現藏甘肅省博物館。

彩陶雙耳罐

馬家窰文化

甘肅蘭州市沙井驛遺址出土。

高15.4、口徑12.8厘米。

器身用豎粗綫作三等分，分區内繪菱格紋。

現藏甘肅省博物館。

彩陶鼓（右圖）
馬家窯文化
甘肅永登縣出土。
高30厘米。
喇叭口，直筒身，兩端有繫孔。鼓身繪鋸齒旋渦紋。
現藏甘肅省蘭州市博物館。

彩陶人頭像壺
馬家窯文化
青海樂都縣柳灣遺址出土。
高22.7厘米。
頸作人頭形，人面五官清晰，頂部有圓形壺口。球形腹，繪黑彩螺旋紋。
現藏青海省彩陶研究中心。

彩陶網紋平行條紋壺

馬家窯文化

青海同德縣宗日遺址出土。

高26.1、口徑10.6厘米。

捲口，折肩，平底。器身繪飾黑彩
網格紋及平行條紋。

現藏青海省文物考古研究所。

彩陶雙人抬物紋盆

馬家窯文化

青海同德縣宗日遺址出土。

高11.3、口徑24.2厘米。

細泥紅陶。大口，侈唇，小平底。內壁繪四組對稱的雙
人抬物圖案，間飾橫、豎平行紋及圈紋。

現藏青海省文物考古研究所。

彩陶舞蹈紋盆

馬家窯文化

青海同德縣宗日遺址出土。
高12.5、口徑22.8厘米。
內壁飾兩組手拉手的舞蹈人物圖。
現藏青海省文物考古研究所。

彩陶鳥紋壺

馬家窯文化

青海同德縣宗日遺址出土。

高23.5厘米。

侈唇，短頸，腹豐上斂下，平底。口沿飾三角紋，頸部
飾三道折綫紋，肩部繪鷹紋。

現藏青海省文物考古研究所。

彩陶神人紋束頸壺

馬家窯文化

甘肅臨夏市徵集。

高42、口徑15、底徑14厘米。

壺口內繪條帶紋和圓點紋，頸部繪折綫紋。肩腹部繪兩
組變體神人紋和大圓圈紋。圓圈內填網格和方格紋。

現藏甘肅省臨夏回族自治州博物館。

彩陶旋紋瓮
馬家窰文化
甘肅永登縣蔣家坪3號墓出土。
高51、口徑19.7、底徑12.5厘米。
瓮肩腹部紅、黑彩繪四方連續渦紋。
現藏甘肅省博物館。

彩陶單耳帶流罐
馬家窰文化
甘肅永登縣中堡遺址出土。
高22、口徑16.4厘米。
罐身呈直筒形，有流及一耳，腹部帶一泥突。
器身繪黑、紅彩回紋、雷紋和網格紋。
現藏甘肅省博物館。

舊石器時代晚期至新石器時代（公元前一二〇〇〇年至公元前二〇〇〇年）

彩陶人形浮雕壺

馬家窯文化

青海樂都縣柳灣遺址出土。

高34.4、口徑9.3厘米。

侈口，長弧腹，平底，腹中下部兩側有雙耳。器表除施黑彩圓圈紋及蛙紋外，壺身尚浮雕裸體女像，含有原始女性崇拜的意味。

現藏中國國家博物館。

彩陶螺旋紋壺

馬家窰文化

青海民和回族土族自治縣三家出土。

高37、口徑10.8、底徑10.7厘米。

壺頸部繪格子紋，腹部飾竪向"S"形螺旋紋，

下飾垂帳紋。

現藏青海省民和回族土族自治縣博物館。

彩陶人頭飾壺

馬家窰文化

青海民和回族土族自治縣山城出土。

高16.5、口徑8.3厘米。

壺肩部堆塑一人頭像，兩側各有一穿耳。器表施

橙黃色及黑彩鋸齒折綫紋。

現藏青海省文物考古研究所。

舊石器時代晚期至新石器時代（公元前一二○○○年至公元前二○○○年）

彩陶四繫罐

馬家窯文化
青海民和回族土族自治縣出土。
高8厘米。
四繫均作鏤空朵花式。通體黑彩飾菱形、
斜方格、點綫和條帶紋。
現藏青海省民和回族土族自治縣博物館。

紅陶垂腹壺

卡若文化
西藏昌都縣卡若遺址出土。
高16、口徑5厘米。
小口，窄唇，短頸，小平
底。器身刻折曲綫組成的幾
何紋裝飾。
現藏西藏博物館。

紅陶雙體罐

卡若文化

西藏昌都縣卡若遺址出土。

高18.7、寬29.2厘米。

器身施黑色彩繪并刻綫紋裝飾。

現藏西藏博物館。

黑陶三足鼎

龍山文化

山東日照市兩城鎮遺址出土。

高16、口徑26.6厘米。

大口圓唇，腹壁有凸弦紋一周及小實鼻三個，底部爲三個附加堆紋和兩個圓形鏤孔的鼎足。

現藏南京博物院。

舊石器時代晚期至新石器時代（公元前一二〇〇〇年至公元前二〇〇〇年）

蛋殼黑陶高柄杯

龍山文化

山東日照市出土。

高26.5厘米。

杯腹部飾數道凸弦紋，柄中部爲長頸瓶式透雕腹，下接細管高柄平底座。

現藏山東省博物館。

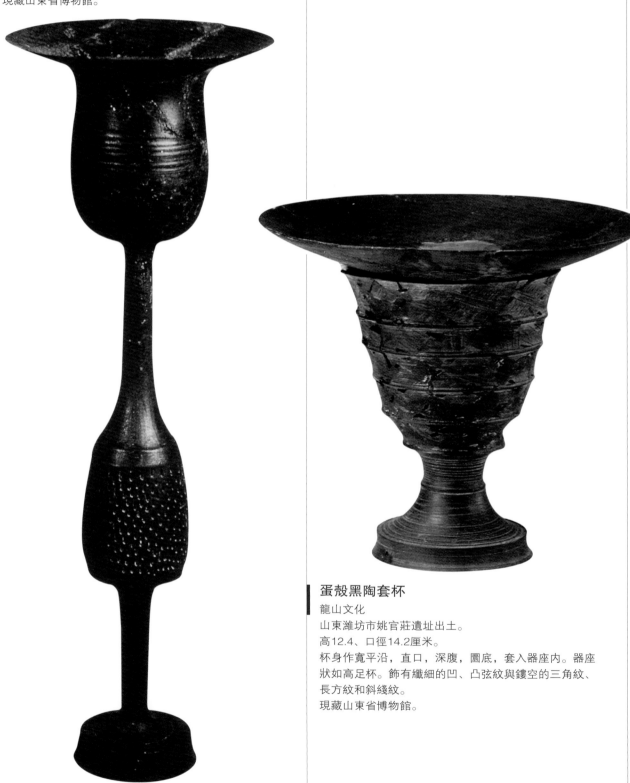

蛋殼黑陶套杯

龍山文化

山東濰坊市姚官莊遺址出土。

高12.4、口徑14.2厘米。

杯身作寬平沿，直口，深腹，圜底，套入器座內。器座狀如高足杯。飾有纖細的凹、凸弦紋與鏤空的三角紋、長方紋和斜綫紋。

現藏山東省博物館。

黃褐陶鬶

龍山文化
山東濰坊市姚官莊遺址出土。
高29.7厘米。
衝天長流，絞紋柄，空袋足。器表呈橙黃色，附加曲綫
紋及乳釘紋。
現藏山東省博物館。

黑陶鳥頭形足鼎

龍山文化

山東濰坊市姚官莊遺址出土。

高18.3厘米。

敞口，折腹，平底，下接三個鳥頭形足。

現藏山東省博物館。

黑陶高足豆

龍山文化

山東濰坊市姚官莊遺址出土。

高18.3、口徑28厘米。

折沿淺盤，外裝兩貫耳。圈足作竹節狀。

現藏山東省博物館。

黑陶罍

龍山文化

山東膠州市三里河村出土。

高22、口徑13.3厘米。

蓋頂端有半環耳，肩上有對稱的環耳和鼻鈕。頸肩均飾弦紋。

現藏中國國家博物館。

舊石器時代晚期至新石器時代（公元前一二〇〇〇年至公元前二〇〇〇年）

黑陶高足杯

龍山文化

山東安丘市出土。

高28.8、口徑9.1厘米。

上部爲敞口杯，下接中空高柄，底爲喇叭足。柄部有弦紋和三角形鏤孔。

現藏中國國家博物館。

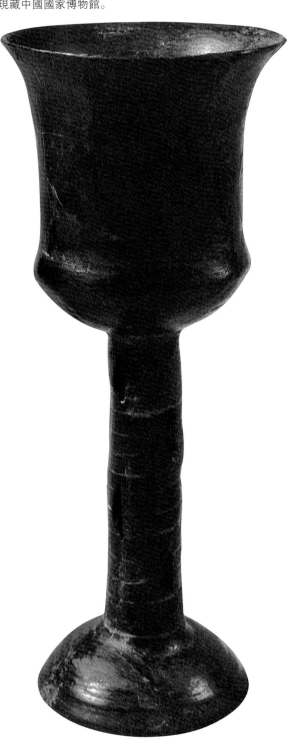

黑陶觚

龍山文化

河南禹州市瓦店出土。

高29、口徑8.4厘米。

敞口，捲沿，長頸，扁方棱體腹，平底，下接喇叭形座。頸與座分別飾數周弦紋。

現藏河南省文物考古研究所。

彩陶壺

龍山文化

山西襄汾縣陶寺遺址出土。

高28.2、口徑17厘米。

壺身繪紅、黑彩條帶紋、圓點紋和幾何形紋等圖案。

現藏中國社會科學院考古研究所。

彩陶盆

龍山文化

山西襄汾縣陶寺遺址出土。

高21、口徑32厘米。

紅色地，上繪黃、白彩幾何紋飾。

現藏中國社會科學院考古研究所。

彩陶蟠龍紋盆

龍山文化
山西襄汾縣陶寺遺址出土。
口徑37厘米。
黑陶衣，上繪紅色蟠龍紋。
現藏中國社會科學院考古研究所。

彩陶圜底雙耳罐
齊家文化
甘肅蘭州市出土。
高21.9、口徑10.4厘米。
通體用褐彩，大口內外繪倒三角網紋，耳部繪折帶格紋，肩部飾竪條紋及斜十字帶圓點紋，腹部繪三周弦紋，其間滿繪曲折紋。
現藏甘肅省蘭州市博物館。

彩陶三角折綫紋圜底罐
齊家文化
甘肅廣河縣齊家坪出土。
高13.5、口徑7厘米。
罐口沿內外繪三角網格紋，肩腹部以多條直線分爲三層，第一層與第三層爲水波紋，第二層飾三角折綫紋。
現藏甘肅省文物考古研究所。

舊石器時代晚期至新石器時代（公元前一二〇〇〇年至公元前二〇〇〇年）

紅陶鳥形器
齊家文化
甘肅廣河縣出土。
高12.4、長11.5厘米。
造型似水鳥，長喙，眼爲小圓孔，腹部豐滿，平底。
現藏甘肅省臨夏回族自治州博物館。

紅陶雙大耳壺
齊家文化
青海大通回族土族自治縣出土。
高10.5、口徑7.5厘米。
有一對闊片大耳。腹部繪紅彩三角折綫紋。
現藏青海省文物考古研究所。

灰陶鴨形器

夏

河南偃師市二里頭遺址出土。

高10厘米。

器身飾指甲紋，把手上飾折綫紋。

現藏中國社會科學院考古研究所。

灰陶折肩大口尊

夏

河南偃師市二里頭遺址出土。

高31.5、口徑28厘米。

頸、肩部飾二周弦紋，肩腹部拍印繩紋，并均飾三周絢索附加堆紋。

現藏中國社會科學院考古研究所。

夏
至
戰
國
（
公
元
前
二
十
一
世
紀
至
公
元
前
二
二
一
年
）

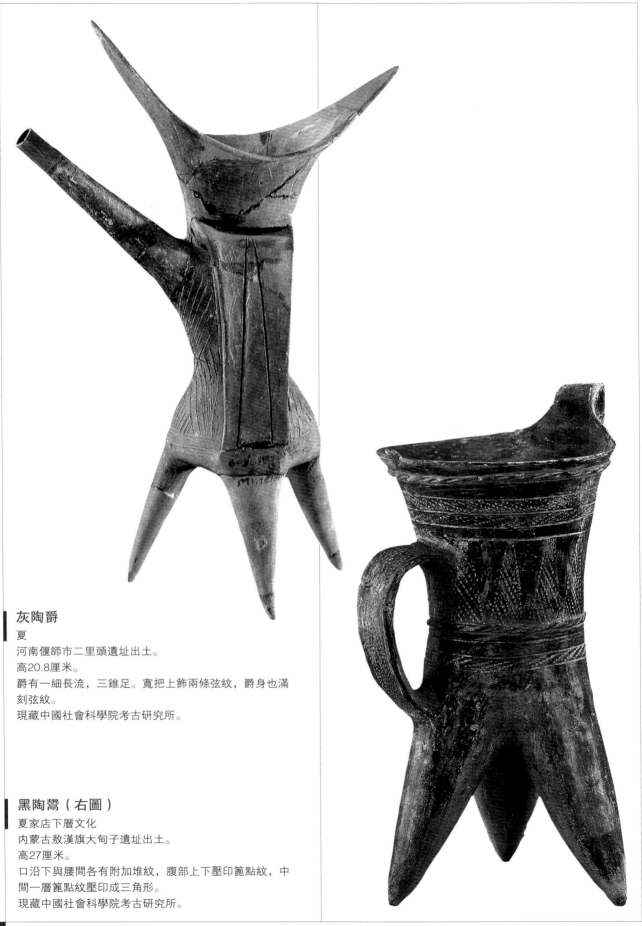

灰陶爵
夏
河南偃師市二里頭遺址出土。
高20.8厘米。
爵有一細長流，三錐足。寬把上飾兩條弦紋，爵身也滿
刻弦紋。
現藏中國社會科學院考古研究所。

黑陶鬹（右圖）
夏家店下層文化
內蒙古敖漢旗大甸子遺址出土。
高27厘米。
口沿下與腰間各有附加堆紋，腹部上下壓印篦點紋，中
間一層篦點紋壓印成三角形。
現藏中國社會科學院考古研究所。

彩繪陶鬲

夏家店下層文化

內蒙古敖漢旗大甸子遺址出土。

高25厘米。

侈口，袋狀三足。外壁繪紅、白、黑彩紋飾。

現藏中國社會科學院考古研究所。

彩繪陶鬲（右圖）

夏家店下層文化

內蒙古敖漢旗大甸子遺址出土。

高20.3、口徑15.7厘米。

敞口，捲沿，頸下有一周凸出折棱，三袋足。器表用
紅、白、黑三種色彩繪紋飾。

現藏中國社會科學院考古研究所。

彩繪陶雙腹罐

夏家店下層文化

內蒙古敖漢旗大甸子遺址出土。

高27.5厘米。

器表飾紅、黃彩回紋、斜紋和三角紋。

現藏遼寧省博物館。

彩繪陶假圈足罐

夏家店下層文化

內蒙古敖漢旗大甸子遺址出土。

高12.5、口徑9.3、底徑9厘米。

罐外壁彩繪以丁字形雙勾雲紋爲主的帶條紋、菱形紋和
雙綫格紋。

現藏中國社會科學院考古研究所。

彩繪四繫陶罍

夏家店下層文化

內蒙古敖漢旗大甸子遺址出土。

高30厘米。

外壁繪紅、白、黑彩獸面紋和雲紋。

現藏中國社會科學院考古研究所。

彩繪陶壺

夏家店下層文化

內蒙古敖漢旗大甸子遺址出土。

高40.5厘米。

蓋鈕塑成蛇頭狀。壺蓋和身均用紅、白兩色繪捲曲
紋圖案。

現藏中國社會科學院考古研究所。

三角網格紋雙大耳罐
四壩文化
甘肅玉門市火燒溝115號墓出土。
高8.5厘米。
口沿內飾網格紋，外飾寬帶紋，上腹部一周飾六組多重三角紋，下腹部繪網格紋，雙耳飾數道綫條。兩耳及下腹貼附綠松石。
現藏甘肅省文物考古研究所。

刻劃人形紋雙耳罐
四壩文化
甘肅玉門市火燒溝152號墓出土。
高7厘米。
口沿一周飾斜綫紋，上腹部刻"X"形人紋，下腹部刻兩個人物形象。
現藏甘肅省文物考古研究所。

彩陶人形罐

四壩文化

甘肅玉門市火燒溝遺址出土。

高21厘米。

人頭部爲侈口，環形耳，雙眼鏤
空，胸腹部飾綱格紋。

現藏甘肅省文物考古研究所。

鷹形罐
四壩文化
甘肅玉門市火燒溝遺址出土。
高7.8厘米。
用黑彩繪出雙眼與背部的點狀羽毛裝飾。
現藏甘肅省文物考古研究所。

彩陶三立犬帶蓋方鼎
四壩文化
甘肅玉門市火燒溝遺址出土。
高27.5、長23、寬12.7厘米。
直口，方唇，平底，四個方棱形
足。蓋頂上塑三立犬。
現藏甘肅省博物館。

灰陶斝斝

商
河南鄭州市商城遺址出土。
高27.2厘米。
口沿處有兩個菌狀陶柱，頸與腹間有陶鋬。腹部飾斝紋
條帶和圓珠紋條帶各一周。
現藏河南省文物考古研究所。

灰陶饕餮紋罍

商
河南鄭州市出土。
高31厘米。
頸、肩和圈足處均有弦紋。腹部飾一周饕餮紋。
現藏河南博物院。

灰陶雲雷紋簋

商

河南鄭州市出土。

高18、口徑27厘米。

腹部與圈足各飾弦紋兩周，腹部弦紋間飾雲雷紋條帶，
下腹部與底表飾繩紋。

現藏河南博物院。

灰陶饕餮紋簋

商

河南鄭州市出土。

高12.8、口徑31.5厘米。

口沿與頸肩有兩個對稱的橫鼻，腹部飾饕餮紋帶一周，
并磨製光滑。

現藏河南省文物考古研究所。

夏至戰國（公元前二十一世紀至公元前二二一年）

黑陶盉

商

河南偃師市商城遺址出土。

高42厘米。

盉腰間凸起兩周弦紋，三錐足間有乳釘紋，把手上刻幾何紋飾。

現藏中國社會科學院考古研究所。

黑陶蓋壺

商

河南鄭州市出土。

高22、口徑7.4厘米。

頸和腹部陰刻弦紋數周。

現藏河南博物院。

黑陶壺
商
河南鄭州市洛達廟遺址出土。
高33.5、口徑19.5、底徑16.2厘米。
頸與座各飾凸弦紋一周，腹部刻數周弦紋。
現藏河南省文物考古研究所。

白陶雲雷紋豆
商
河南鄭州市出土。
高13、口徑22.5厘米。
折沿淺盤，喇叭口形足。盤外壁與圈足上、下部分飾雲
雷紋帶條。圈足中部飾連接的圓圈紋與內套的折角紋。
現藏中國國家博物館。

夏至戰國（公元前二十一世紀至公元前二二一年）

白陶雲雷紋瓿

商
河南安陽市出土。
高20、口徑18.5厘米。
器身飾幾何印紋。
現藏故宮博物院。

灰陶竹節形高柄器座

商

陝西城固縣寶山遺址出土。

高38.8、口徑10、足徑16厘米。

器上部與下部均爲喇叭口形，中間爲竹節形高柄。柄、
足部飾數組弦紋及小圓孔。

現藏陝西省西北大學歷史博物館。

白陶刻花尊

商

高35、口徑19厘米。

上腹部飾四周附加堆紋，其間拍印夔紋及饕餮紋等圖
案。下腹部飾雙勾紋與雲雷紋。

現藏上海博物館。

夏至戰國（公元前二十一世紀至公元前二二一年）

彩陶雙耳罐
辛店文化
甘肅廣河縣城關溫家坪出土。
高16.6、口徑10.7厘米。
頸部繪條帶紋與鋸齒紋，腹部弦紋間飾菱形與
雙勾曲綫紋。
現藏甘肅省臨夏回族自治州博物館。

彩陶雙耳罐
辛店文化
甘肅東鄉族自治縣達板桌子坪出土。
高18、口徑10.8厘米。
口沿外繪條帶紋，頸與腹中部繪兩道竪條紋，
竪條兩側繪獸紋。
現藏甘肅省臨夏回族自治州博物館。

彩陶大雙耳罐

辛店文化

甘肅東鄉族自治縣出土。

高20、口徑11厘米。

器表施紅色陶衣，用黑彩繪出相連接的旋渦紋。

現藏甘肅省臨夏回族自治州博物館。

彩陶雙耳壺

辛店文化

甘肅東鄉族自治縣出土。

高41、口徑16.5厘米。

長頸，折肩，深腹，肩部有對稱雙耳。頸部繪帶條紋、
弦紋和雲雷紋，肩部繪角形雙勾曲紋。

現藏甘肅省臨夏回族自治州博物館。

灰陶壺（右圖）

西周

陝西岐山縣禮村出土。

高34.1、口徑9.9、底徑11.4厘米。

壺頸部有一周方棱體附加堆紋帶，帶上拍印雲雷紋圖案。

現藏陝西歷史博物館。

灰陶尊

西周

陝西西安市老牛坡出土。

高23.9、口徑19.3厘米。

尊頸部、腹部與圈足分別飾弦紋與劃紋，頸與腹部又各飾一周連續的三角紋。兩組三角紋之間又分別附加兩竪條鋸齒紋扉牙和乳釘紋。

現藏陝西歷史博物館。

灰陶尊

西周

河南洛陽市紅旗機場出土。

高23、口徑21.3厘米。

頸與腹部分別飾弦紋、回紋和幾何形紋帶條。

現藏河南省洛陽博物館。

灰陶蟬紋簋
西周
北京房山區琉璃河遺址出土。
高15.5、口徑23厘米。
器身刻劃變形蟬紋。
現藏首都博物館。

灰陶雲雷紋簋
西周
北京房山區琉璃河遺址出土。
上腹部與足上部有一道凸弦紋，弦紋之間刻雲雷紋。
現藏首都博物館。

印紋硬陶瓮

西周
高30.5、口徑22.1、底徑27.2厘米。
頸部飾弦紋，肩與腹拍印密集的小方格紋。
現藏浙江省衢州市博物館。

硬陶夔龍鋬杯

西周
福建閩侯縣鴻尾黃土倉出土。
高11.4、口徑11.5厘米。
口沿下有一夔龍狀鋬。杯腹刻
雙綫勾連回紋，雙綫間飾錐刺
點紋。
現藏福建博物院。

夏至戰國（公元前二十一世紀至公元前二二一年）

硬陶回紋把手杯

西周

福建閩侯縣鴻尾黃土倉出土。

高16、口徑15.8厘米。

口沿下有寬單鋬，鋬面刻竪條紋數道。

腹部刻回紋與弦紋。

現藏福建博物院。

彩陶三角紋圜底罐

沙井文化

甘肅古浪縣古浪鎮暖泉村遺址出土。

高24厘米。

頸、肩、腹部飾三層細長倒三角紋、鳥紋，間以弦紋和連續菱形紋。

現藏甘肅省古浪縣博物館。

灰陶壺

春秋

陝西鳳翔縣一旗屯莊出土。

高44.3、口徑12.1厘米。

口沿塑獸面，兩側有鼻套圓環。腹部飾數周弦紋。

現藏陝西歷史博物館。

彩繪陶雙耳壺

春秋

陝西鳳翔縣八旗屯遺址出土。

高32、口徑13.7厘米。

直口高頸，球腹平底。通身飾彩繪雲雷紋。

現藏陝西歷史博物館。

灰陶雲雷紋獸首提梁壺

春秋

江西貴溪市崖墓出土。

高19.8、口徑7.2厘米。

矮壺身，鼓腹，帶蓋，下有三足，肩部有獸首流和提梁。

現藏江西省博物館。

灰陶雲雷紋獸首方耳三足鼎

春秋

江西貴溪市崖墓出土。

高14.7、口徑13.2厘米。

口沿前塑獸頭，兩側有方耳。鼎身飾雲雷紋與弦紋。

現藏江西省博物館。

灰陶夔紋方格紋四耳罍

春秋

廣西賀州市出土。

高22.5、口徑13.3厘米。

上腹部飾密集的夔紋條帶，下腹部飾密集的小方格紋。

現藏廣西壯族自治區博物館。

黑陶磨光壓劃紋鼎

戰國

河北平山縣中山王響墓出土。

高41.2厘米。

造型成球狀，鼎身刻獸紋。

現藏河北省文物研究所。

彩繪陶鼎

戰國

北京昌平區松園村戰國墓葬2號墓出土。

高43、口徑28厘米。

口沿上附雙耳，耳上刻"S"形紋。蓋面
貼塑三臥獸鈕。腹部刻渦紋。

現藏首都博物館。

黑陶磨光壓劃紋鳥柱盤

戰國

河北平山縣中山王𰻞墓出土。

高23.4厘米。

盤中心立一圓柱，柱上塑一飛鳥，盤內壁壓劃紋飾。

現藏河北省文物研究所。

黑陶磨光壓劃紋鴨尊
戰國
河北平山縣中山王譽墓出土。
高27.8厘米。
鴨首形流，高頂圓蓋，器身飾獸紋、捲雲紋和波折紋
等圖案。
現藏河北省文物研究所。

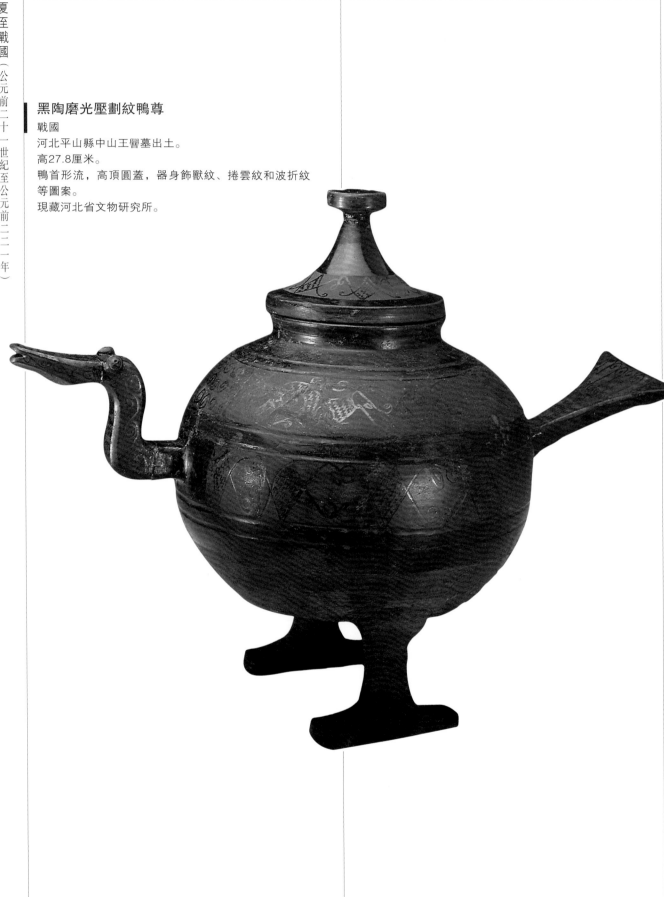

黑陶磨光壓劃紋壺

戰國

河北平山縣中山王𰯼墓出土。

高52.5厘米。

壺身分別飾三角紋、捲雲紋和波折紋。

現藏河北省文物研究所。

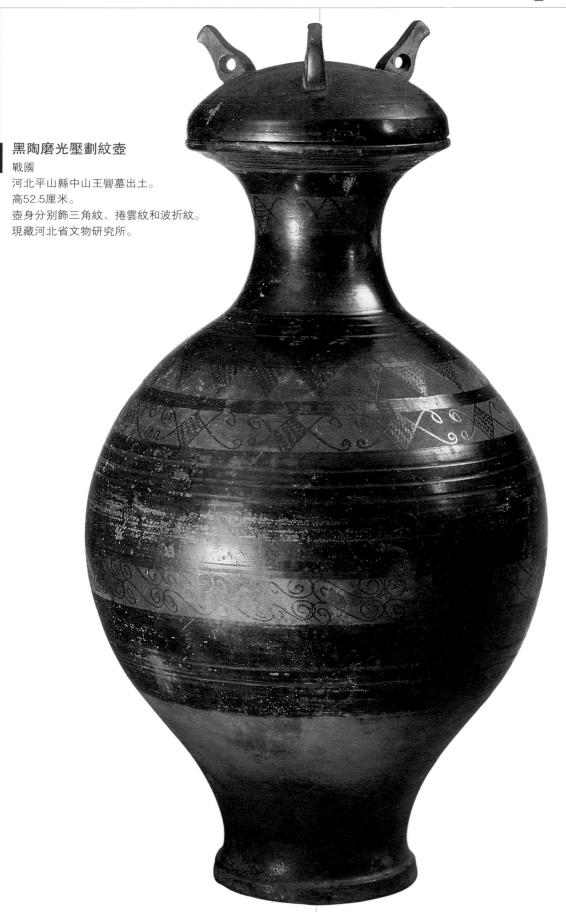

彩繪陶簋

戰國

北京昌平區松園村戰國墓葬2號墓出土。

高36.5、口徑21厘米。

簋腹兩側貼塑獸頭雙耳，下有方座。耳部飾斑點紋，其
餘部位滿飾流雲紋。

現藏首都博物館。

彩繪陶蓮蓋龍虎紋壺（右圖）

戰國

河北邯鄲市博物館戰國墓出土。

高53.5、口徑18.4、底徑16.1厘米。

壺蓋上附仰蓮五瓣。頸部飾牛鼻形捲雲紋，其下以弦紋
爲框飾五層花紋帶，花紋帶中分別飾捲雲紋、虎紋、龍
紋和繩紋等圖案。

現藏河北省邯鄲市文物保護研究所。

彩繪陶壺

戰國

北京昌平區松園戰國墓出土。

高71厘米。

仿青銅禮器造型。方形長頸，圓
腹，圈足。頸部有一對獸形耳及
一對鋪首銜環。器身有剔花及朱
繪紋飾。

現藏首都博物館。

夏至戰國（公元前二十一世紀至公元前二二一年）

灰陶渦紋雙耳瓶
戰國
雲南德欽縣石底墓葬出土。
高18.6厘米。
瓶腹部刻四個對稱雲雷形渦紋。
現藏雲南省博物館。

灰陶鳥形豆
戰國
山西長治縣出土。
高29.5厘米。
豆盤上塑一長頸鳥頭及一短尾，喇叭形圈足。
豆身有刻劃的弦紋。
現藏山西博物院。

彩繪陶豆

戰國

北京昌平區松園村戰國墓葬2號墓出土。

高33、口徑16厘米。

蓋爲倒扣的三足鼎形，淺盞，細長柄。

現藏首都博物館。

黑陶磨光壓劃紋豆

戰國

河北平山縣中山王譻墓出土。

高35.6厘米。

豆身飾三角紋、捲雲紋和波折紋等紋飾。

現藏河北省文物研究所。

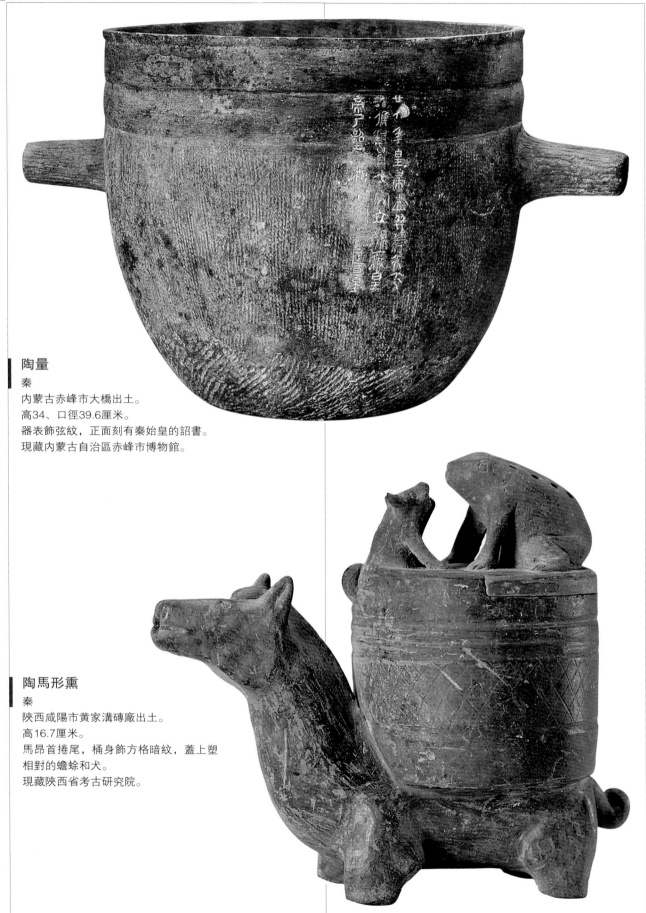

陶量

秦

内蒙古赤峰市大橋出土。

高34、口徑39.6厘米。

器表飾弦紋，正面刻有秦始皇的詔書。

現藏内蒙古自治區赤峰市博物館。

陶馬形熏

秦

陝西咸陽市黄家溝磚廠出土。

高16.7厘米。

馬昂首捲尾，桶身飾方格暗紋，蓋上塑相對的蟾蜍和犬。

現藏陝西省考古研究院。

陶穀倉

秦

陝西西安市秦始皇陵出土。

高22、口徑27.6厘米。

倉身矮粗，有一倉門，倉頂堆貼瓦棱。

現藏陝西歷史博物館。

漆衣黑陶鼎

西漢

北京豐臺區大葆臺1號漢墓出土。

高38.5、口徑17.5、腹徑32厘米。

博山式蓋，附耳，底部三蹄形足。腹部飾凸
弦紋，底飾籃紋。

現藏北京市大葆臺西漢墓博物館。

陶熏爐

西漢
湖南長沙市馬王堆1號漢墓出土。
高12.5、口徑13厘米。
蓋頂飾一鳥形鈕，蓋與爐身鏤刻三角孔紋
與交叉綫紋。
現藏湖南省博物館。

陶熏爐

西漢
河北邯鄲市錦花住宅區墓葬出土。
高14.2、口徑16.1厘米。
平頂圓鈕，爐身及蓋頂周壁飾虛實相間的
交錯三角針點紋，頂面飾三角形鏤孔。
現藏河北省邯鄲市文物保護研究所。

陶熏爐

西漢

廣西貴港市糧食倉庫15號墓出土。

高14、口徑9、底徑7.2厘米。

蓋傘狀，塑鳥形鈕。鈕外圍飾三角紋，蓋中部鏤有梯形
長條孔，外緣飾方格紋，并有凸字形孔。口沿飾弦紋，
腹部飾竪行戳印紋和小圓孔。

現藏廣西壯族自治區博物館。

陶匏形壺

西漢

遼寧喀喇沁左翼蒙古族自治縣平房
子鄉黃道營子村出土。

高31.5厘米。

頸、肩等處飾水波紋、弦紋和錐
點紋。

現藏遼寧省喀喇沁左翼蒙古
族自治縣博物館。

陶雙繫帶蓋匏形壺（右圖）

西漢

福建閩侯縣荊溪村廟後山出土。

高27、口徑8厘米。

蓋上塑一鳥形鈕。肩部與近底處均飾弦紋，弦紋之間飾
篦紋。腹部飾直棱紋。

現藏福建博物院。

陶匏形壺

西漢

廣東廣州市海珠區出土。

高34厘米。

細長頸，有鳳鳥形塞。肩部有半環形耳供穿繫。通體施
黃褐釉。

現藏廣東省廣州博物館。

陶鴟鴞壺（右圖）

西漢

遼寧大連市普蘭店花兒山鄉出土。

高29厘米。

壺蓋做成半球狀鴞頭，兩耳尖立，面部中綫爲凸起長喙，雙目圓睜。鴞雙足與尾部觸地，尾邊緣凸顯，以示尾翼。

現藏遼寧省旅順博物館。

陶五聯蓋罐

西漢

廣西貴港市出土。

高10、口徑4.8厘米。

由五個小罐連結燒製。罐蓋飾弦紋和圓點紋，罐身飾凸弦紋。

現藏廣西壯族自治區博物館。

漆繪陶鼎

西漢

江蘇徐州市簸箕山5號漢墓出土。

高15.5、腹徑20厘米。

鼎腹中部有一圈凸弦紋，弦紋上部飾雲氣紋。

現藏江蘇省徐州博物館。

彩繪陶鼎
西漢
河南三門峽市上村嶺7號墓出土。
高24、口徑22厘米。
鼎身飾三角紋，三角紋內飾圓點紋。
現藏河南博物院。

彩繪陶奩
西漢
河南洛陽市七里河10號墓出土。
高19.5、口徑20.2厘米。
奩身中部繪一周人物紋。
現藏河南博物院。

彩繪陶奩

西漢

河南洛陽市出土。

高18、口徑21厘米。

奩身中部繪五人，一人揮袖起舞，四人跪坐。畫面上下
飾雲氣紋。

現藏河南省洛陽市文物工作隊。

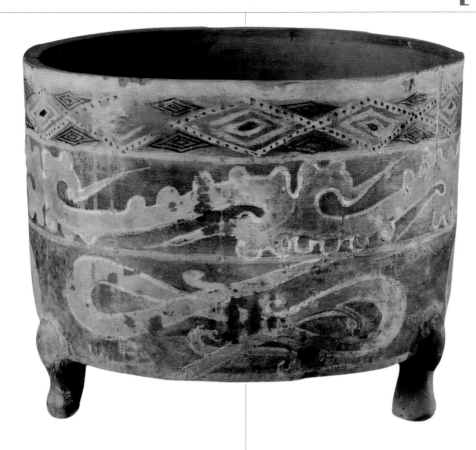

彩繪陶奩
西漢
陝西徵集。
高16.5、口徑21厘米。
奩外壁彩繪菱形紋、圓點紋、變形龍紋及雲紋。
現藏陝西歷史博物館。

彩繪陶繭形壺
西漢
陝西潼關縣蝎子山出土。
高30、口徑14厘米。
橢圓形鼓腹，小圈足。器
身繪紅、白彩雲氣紋。
現藏河南博物院。

秦漢（公元前二二一年至公元二二〇年）

彩繪陶壺

西漢

河南洛陽市燒溝125號墓出土。

高47.6、口徑18厘米。

壺身彩繪紋飾，以粗細不等的弦紋分
成多層紋飾帶條，分別飾三角紋、圓點
紋、波折紋、虎紋、雲紋、魚紋等圖案。
現藏河南博物院。

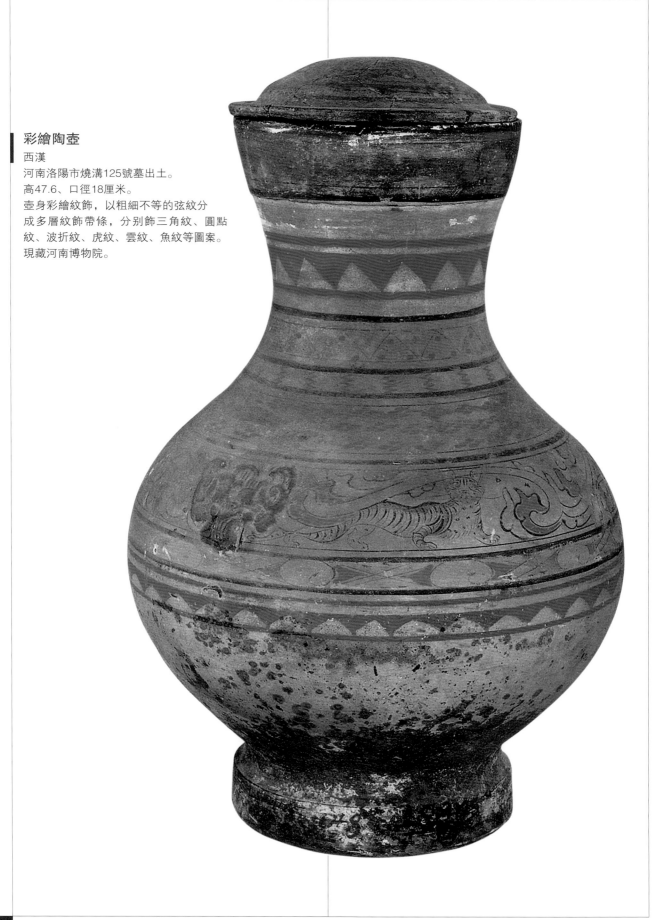

彩繪陶壺

西漢

河南三門峽市上村嶺7號墓出土。

高32、口徑12厘米。

壺頸至壺腹繪五層倒三角紋，三角紋内滿飾圓點紋，

圈足繪兩兩相對的三角紋，三角紋内飾圓點紋。

現藏河南博物院。

彩繪陶博山蓋壺

西漢

北京石景山區老山西漢墓出土。

高51、口徑22、底徑22厘米。

博山蓋施紅色，壺頸部繪蕉葉紋，腹部飾雲龍紋。

現藏首都博物館。

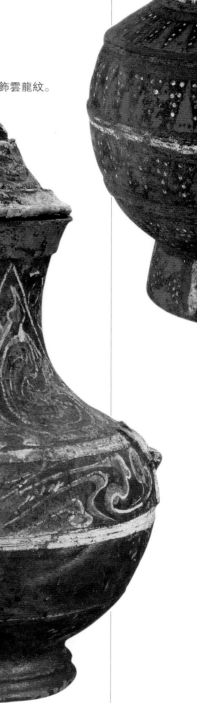

秦漢（公元前二二一年至公元二二〇年）

彩繪陶方壺
西漢
湖南長沙市馬王堆1號漢墓出土。
高37.5厘米。
器身彩繪雲氣紋。
現藏湖南省博物館。

彩繪陶人物縛蛇壺

西漢

河南滎陽市北邙鄉牛口峪出土。

高38、寬35厘米。

壺兩側各塑一人，其中一人戴獸面，二人
手中各握一蛇。

現藏河南博物院。

彩繪陶雙鳥怪獸壺

西漢

河南滎陽市北邙鄉牛口峪出土。

高45、寬25厘米。

怪獸呈坐姿，雙手抱魚，口大張。兩側塑曲頸尖喙的鳳
鳥，鳳鳥下部又有二鳥頭。

現藏河南博物院。

彩繪陶三角紋甑

西漢

河南三門峽市上村嶺7號墓出土。

高37、口徑34厘米。

器身飾倒三角紋和相對三角紋，三角紋內滿飾圓點紋。

現藏河南博物院。

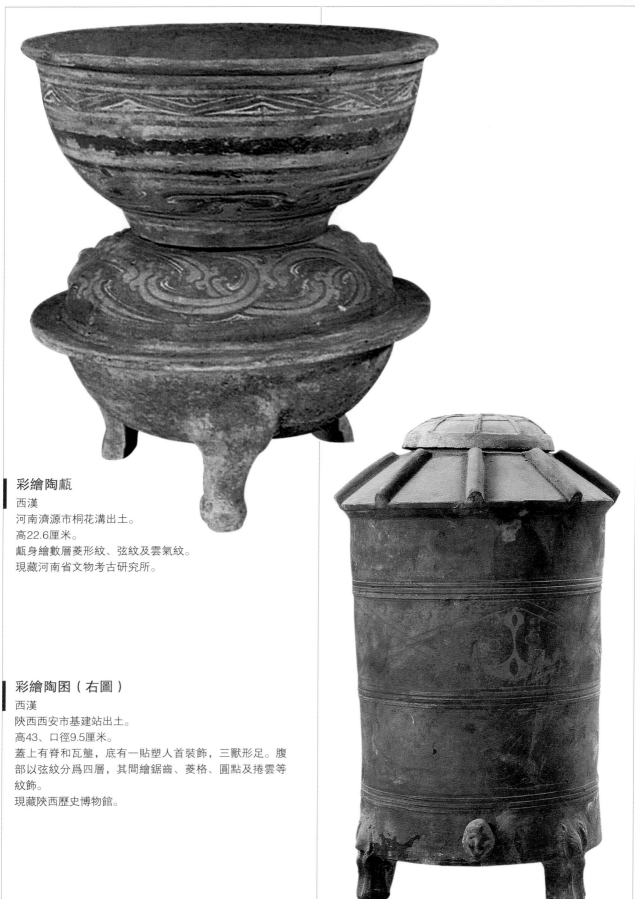

彩繪陶甗

西漢

河南濟源市桐花溝出土。

高22.6厘米。

甗身繪數層菱形紋、弦紋及雲氣紋。

現藏河南省文物考古研究所。

彩繪陶囷（右圖）

西漢

陝西西安市基建站出土。

高43、口徑9.5厘米。

蓋上有脊和瓦壟，底有一貼塑人首裝飾，三獸形足。腹部以弦紋分爲四層，其間繪鋸齒、菱格、圓點及捲雲等紋飾。

現藏陝西歷史博物館。

秦漢（公元前二二一年至公元二二〇年）

醬黃釉陶盒
西漢
陝西西安市徵集。
高18、口徑18.6厘米。
蓋凸起，有三螺形鈕，底有三蹄形足。器身刻弦紋，
并繪捲雲紋。
現藏陝西歷史博物館。

醬紅釉陶罐
西漢
陝西寶雞市鬥雞臺漢墓出土。
高14、口徑10厘米。
通體飾醬紅色釉，肩部繪一周綠釉新月及佛手紋。
現藏北京大學賽克勒考古與藝術博物館。

釉陶草葉紋罐

西漢

河南洛陽市吉利區大化織漢墓出土。

高19.6、口徑8.2、底徑12厘米。

罐身飾數周弦紋，肩部繪"S"形草葉紋。

現藏河南省洛陽博物館。

綠釉鴟尊

西漢

河南三門峽市出土。

高26厘米。

鴟頂有圓孔。通體大部分施綠釉，

眼、耳、喙及腿施黃褐釉。

現藏河南省三門峽市文物工

作隊。

青釉鋪首水波紋陶瓿

西漢

江蘇揚州市農業科學研究所出土。

高23、口徑10厘米。

肩部置對稱方耳，耳面模印獸面紋，兩耳間貼飾獸面銜環模印堆紋。肩劃三組弦紋，間以水波紋。

現藏江蘇省揚州博物館。

青釉鋪首銜環陶壺

西漢

江蘇揚州市西湖鄉胡楊村出土。

高48.4、口徑15.5厘米。

肩飾四組弦紋，貼飾對稱獸面銜環蕨葉紋繫，繫上貼兩乳釘。

現藏江蘇省揚州博物館。

綠釉陶壺

西漢

浙江安吉縣出土。

高46.5、口徑14.7厘米。

肩部置二個對稱的鋪首銜環。

現藏浙江省安吉縣博物館。

青釉陶熏

西漢

江蘇儀徵市劉集聯營趙莊出土。

高19.1、口徑9.6厘米。

器作子母口，淺腹，下腹斜折，倒置豆形足，蓋頂
中部凸起一棱柱，頂端立一鳥，作振翅欲飛狀。

現藏江蘇省儀徵市博物館。

陶屋

東漢

重慶忠縣塗井5號崖墓出土。

高45厘米。

頂爲廡殿式，正面下部由尋杖、蜀柱、臥欞、菱形格組成長方形欄板。板上有一組人物。

現藏重慶市博物館。

陶船

東漢

廣東廣州市先烈路出土。

長54、高15厘米。

船分前、中、後三艙，船尾設廁所，船上設六俑，各司其職。

現藏中國國家博物館。

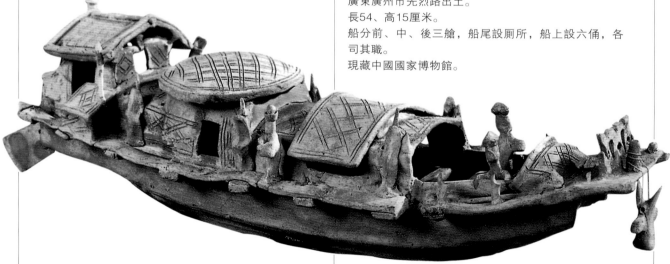

陶刻花三羊鈕盒

東漢

廣西貴港市總倉庫10號墓出土。

高22、口徑22、底徑16.4厘米。

蓋頂置鈕，鈕套一活環，頂緣塑三隻羊。腹部置一
對鋪首銜環。蓋面飾柿帶紋、羽紋和蕉葉紋，
腹部飾蕉葉紋和籃紋。

現藏廣西壯族自治區博物館。

陶刻花環耳帶蓋奩

東漢

廣西貴港市加工廠5號墓出土。

高23.5、口徑18.8、底徑19厘米。

蓋頂飾三臥獸和天鷄，蓋面刻羽狀紋和水波
紋。奩身堆捏弦紋將雙耳連成一綫，弦紋上
部飾羽狀紋，下部飾相間的羽狀紋和水波紋
四層。

現藏廣西壯族自治區博物館。

【 陶 器 】

陶刻花多孔帶蓋簋

東漢

廣西貴港市東湖新村22號墓出土。

高21、口徑30、底徑25厘米。

蓋面有鈕帶活環，飾弦紋、羽狀紋及水波紋。口沿處飾兩排孔，間飾方格紋。腹部飾弦紋，弦紋間飾方格紋。現藏廣西壯族自治區博物館。

彩繪陶倉樓

東漢

河南滎陽市河王水庫1號墓出土。

高78.2厘米。

陶倉樓懸山頂，頂下有斗栱，倉身開窗，倉壁繪人物。

現藏河南博物院。

彩繪陶倉樓

東漢

河南焦作市出土。

高134厘米。

樓前有長方形院落，主樓四層，樓身開窗，并彩繪紋飾。

現藏河南博物院。

彩繪陶百戲俑尊

東漢

河南洛陽市七里河出土。

高24厘米。

口沿上塑三倒立人俑，尊下有三足。

現藏河南省洛陽市文物工作隊。

彩繪陶博山爐

東漢

河南洛陽市西工區出土。

高22、盤徑17.5厘米。

蓋上塑虎、蛇等獸，通體彩繪紋飾。

現藏河南省洛陽市文物工作隊。

綠釉狩獵紋陶壺

東漢

陝西西安市郭家村出土。

高42.5、口徑16.5厘米。

施綠釉，肩腹部浮雕一周狩獵紋。

現藏中國國家博物館。

綠釉陶尊

東漢

陝西咸陽市實店5號墓出土。

高23.5厘米。

博山爐形器蓋，筒形器身，下接三獸足。器腹淺浮雕鋪
首銜環、騎射圖等紋樣。

現藏北京大學賽克勒考古與藝術博物館。

青釉五聯罐（右圖）

東漢

浙江台州市黃岩區出土。

高39.8、口徑6.1厘米。

腹中部以上施青黃釉，流釉使該罐色彩斑斕。

現藏浙江省台州市博物館。

複色釉陶壺

東漢

河南濟源市出土。

高22、口徑10、底徑10厘米。

盤口與長頸施深色醬釉，肩部以下施深紅、褐色釉，兩釉色以肩部弦紋分開。

現藏河南省文物考古研究所。

彩繪釉陶壺

東漢

河南濟源市出土。

高16.6、口徑3.8、底徑9.9厘米。

深褐色釉爲地，頸部繪三角紋，肩部飾捲雲紋。

現藏河南省文物考古研究所。

複色釉陶鼎

東漢

河南濟源市出土。

高18、口徑7.5厘米。

雙耳、三足與上腹部施綠色釉，鼎蓋與下腹部
施紅褐色釉。

現藏河南省文物考古研究所。

綠釉陶水榭

東漢

河南靈寶市張灣2號墓出土。

高54、寬45厘米。

亭式水榭，下爲方形池塘，池塘
中立一座兩層方形攢尖亭閣，四
隅各有一小亭。大亭各層布有人
物俑，池塘中有魚、龜、蛙和鴨
等動物。

現藏河南博物院。

緑釉陶樓

東漢

河南淮陽縣九女冢村采集。

高144厘米。

三層四阿頂樓閣，正脊上塑一鳳鳥，各垂脊上置鳥形飾，一層內置人物俑。

現藏河南博物院。

緑釉陶望樓

東漢

河南靈寶市張灣3號墓出土。

高130厘米。

一座三層四阿頂式樓閣立于方形池塘上。整個樓閣布有迎賓俑、吹奏俑等人物，主人正臨臺眺望。

現藏河南博物院。

緑釉陶樓

東漢

河南靈寶市張灣2號墓出土。

高93厘米。

樓前有一長方形院落，主樓爲三層樓，正脊上立一昂
首的朱雀，壁上開洞窗和盲窗。

現藏河南博物院。

緑釉九聯陶燈臺

東漢

北京平谷區西柏店出土。

高65、寬39厘米。

燈座呈喇叭口形，頂托一圓盤，上有一瑞鳥。中心柱分三面伸出九支"S"形枝條，每個枝頭頂着一個燈盤。

現藏首都博物館。

綠釉陶井

東漢

山東高唐縣出土。

高41、口徑15.3厘米。

井口豎一拱形水架，井架兩側爲鳥、樹、捲曲形飾
物，井沿處有一圓形水斗。

現藏中國國家博物館。

綠釉刻花陶壺

東漢

安徽合肥市出土。

高25.1厘米。

肩部有四個橋形耳，耳飾捲雲紋，并各附一環。器
身刻劃弦紋、水波紋、斜格紋和蕉葉紋。

現藏安徽省博物館。

緑釉陶熊燈

東漢
高46.5厘米。
上部爲燈盞，中部爲子母熊燈柱，下爲燈座。
現藏上海博物館。

緑釉人物形陶燈座

東漢
高27.3厘米。
女俑頭戴杯式高冠，身着緑色長衫，席地而坐，懷中攬
一幼兒。
現藏安徽省蚌埠市博物館。

緑釉陶熏爐

東漢

高35厘米。

蓋鈕塑作鳥形，蓋面有鏤刻的三角形，蓋與半球形爐身對合，下接竹節形高柱足，足中部有一圓盤。

現藏廣東省博物館。

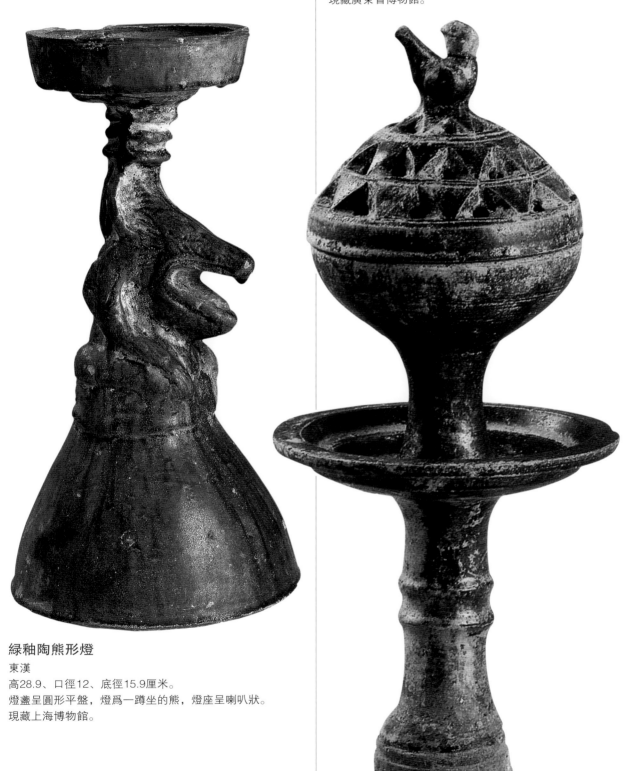

緑釉陶熊形燈

東漢

高28.9、口徑12、底徑15.9厘米。

燈盞呈圓形平盤，燈爲一蹲坐的熊，燈座呈喇叭狀。

現藏上海博物館。

緑釉陶尊

東漢

高15.6、口徑20.4厘米。

尊外壁釉下模印山川、奔鹿、跑馬、野猪、犀牛、猴子
和獅子等圖案。

現藏故宫博物院。

醬黄釉劃花陶温壺

東漢

高18厘米。

頂部爲一蘑菇形鈕，圓腹，平底。

腹面劃雙綫菱格紋、齒紋和弦紋。

現藏廣東省博物館。

青釉陶貼花瓶

北齊

山西太原市晉源區王郭村婁叡墓出土。

高39.8、腹徑28厘米。

瓶蓋飾蓮紋，頸部有二鋪首銜環，肩部貼四花紋和二鋪首銜環耳。

現藏山西省考古研究所。

青釉陶貼塑蓮花燈

北齊

山西太原市晉源區王郭村婁叡墓出土。

高50.2厘米。

座柄相連。燈盞另製，通體施黄綠釉，貼劃紋飾。

現藏山西省考古研究所。

青釉陶螭柄鷄首壺

北齊

山西太原市晉源區王郭村婁叡墓出土。

高48.2、腹徑32.5厘米。

盤口，螭柄，肩部飾鷄首，下腹部貼四鳳鳥紋飾。

現藏山西省考古研究所。

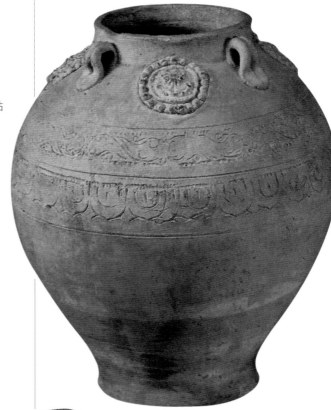

貼花陶罐

隋

江蘇揚州市邗江區蔣王鄉霍橋村東莊出土。

高25.7、口徑11.4厘米。

肩部飾四個對稱泥條繫，間以環繞聯珠紋的圓形模印貼花。腹部刻劃流雲紋和蓮瓣紋等紋飾。

現藏江蘇省揚州博物館。

彩繪陶房

隋

河南洛陽市出土。

高74、面闊53.3厘米。

歇山頂式房屋，正門兩側刻二小窗，窗上有綫刻佛像。

現藏河南博物院。

陶象座象頭罐

唐

陝西西安市西郊製藥廠出土。

高68厘米。

象背上負蓮座，蓮座上置罐，罐身四面貼
塑象頭，罐蓋爲相輪狀。紅陶胎，施白陶衣。
現藏陝西歷史博物館。

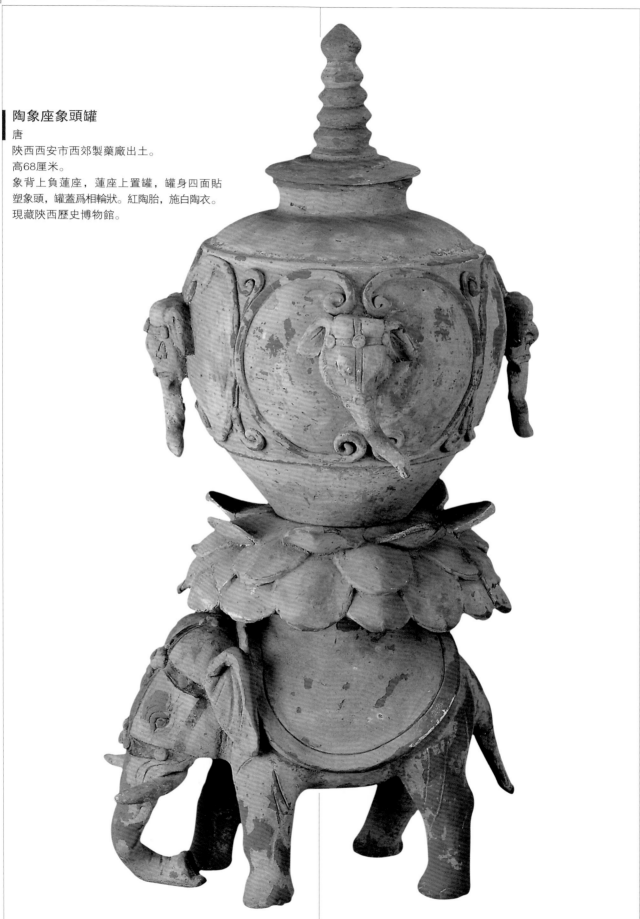

彩繪陶山水圖瓶

唐

河南偃師市唐恭陵哀皇后墓出土。

高14.2、口徑4.5厘米。

通體施白陶衣，腹部彩繪一周完整的山水圖。

現藏河南省偃師商城博物館。

南北朝至五代十國（公元四二○年至公元九六○年）

白釉壺（右圖）
唐
高19.2、口徑7.8、足徑7.4厘米。
一曲柄連于頸腹間，與柄相對有一短流。通體施白釉。
現藏故宮博物院。

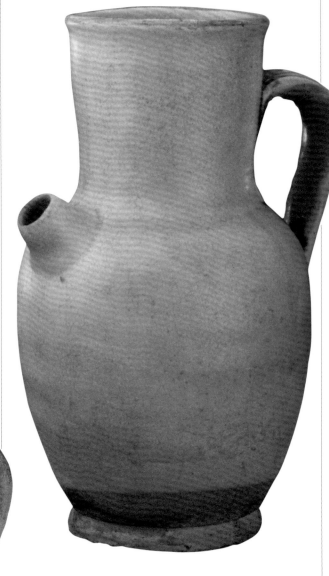

黃釉綠彩執壺
唐
高27.5、口徑11.7厘米。
肩部有一短流，流口削平，一側有曲柄。
現藏故宮博物院。

黄緑釉鸚鵡形提壺
唐
内蒙古和林格爾縣出土。
高19.5、底徑8.9厘米。
鸚鵡立于喇叭形座上，背部有注口和提梁，嘴爲流。
喙、爪、前胸施黄色釉，其餘地方施緑釉。
現藏内蒙古博物院。

綠釉小口熏

唐

陝西西安市長安區北原唐墓出土。

高21.5厘米。

自肩至腹上部有豎直鏤孔和牡丹形鏤孔各二組。

現藏陝西省考古研究院。

綠釉博山爐

唐

陝西西安市長安區北原唐墓出土。

高36.3厘米。

蓋作山巒起伏狀，有鏤孔和綫雕紋飾。

雙龍承托蓮花形腹。

現藏陝西省考古研究院。

三彩龍耳瓶

唐

高47.4、口徑11.4、底徑10厘米。
口沿至肩部捏塑二龍銜瓶口式雙
耳，頸部及腹部飾數道弦紋，腹部
飾對稱花紋二組。
現藏日本東京國立博物館。

三彩長頸瓶（右圖）

唐

高25、口徑7.6、底徑8.8厘米。

瓶身貼逆對稱花卉紋二組。

現藏日本東京國立博物館。

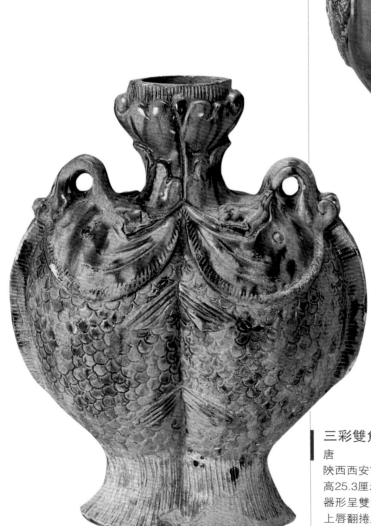

三彩雙魚壺

唐

陝西西安市長安區南里王村出土。

高25.3厘米。

器形呈雙魚并連形，魚吐水花作口，

上唇翻捲成雙繫，魚尾作圈足。

現藏陝西省考古研究院。

三彩貼花鳳首壺

唐

高35.6厘米。

全器采用輪製、模壓、貼花等手法
裝飾，具有波斯玻璃器風格。
現藏日本神户白鶴美術館。

三彩鳳首瓶

唐

陝西西安市三橋蘭家村出土。

高33厘米。

瓶口作鳳首狀，有一曲柄把手。瓶身飾鳳鳥紋。

現藏陝西省西安市文物保護考古所。

三彩龍首壺

唐

江蘇揚州市倉巷出土。

高27.9、口徑12.4厘米。

龍首流，龍形柄。器身有貼飾模印團花、團龍圖案。上部有綠釉垂流。

現藏江蘇省揚州博物館。

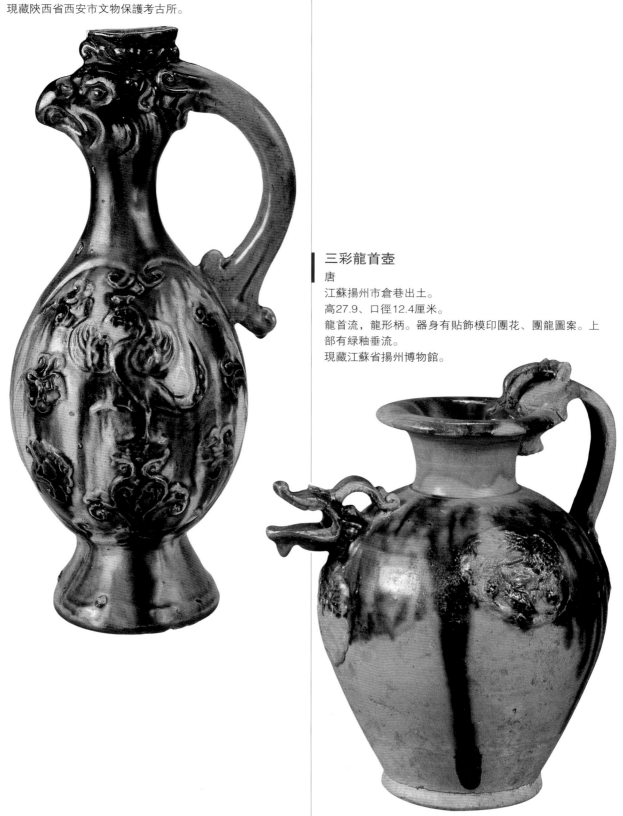

三彩塔式罐

唐

陝西西安市中堡村唐墓出土。

高67.8厘米。

由罐蓋、罐身、蓮瓣、底座四
部分組成，四部分可分可合。

製作精細，色澤艷麗。

現藏陝西歷史博物館。

【 陶 器 】

南北朝至五代十國（公元四二○年至公元九六○年）

三彩罐

唐

陝西西安市三橋唐墓出土。

高32.1厘米。

口沿外捲，圓肩斜腹，平底。釉自然流淌但不到底。

現藏陝西歷史博物館。

三彩寶相花紋罐

唐

河南洛陽市井溝朱家灣出土。

高22、口徑12厘米。

平沿，鼓腹，三蹄形足，蓋上飾一拱形圓鈕。肩部有凸
弦紋一周，有六朵圓形貼花，腹部飾六朵寶相花。

現藏河南省洛陽博物館。

三彩貼花爐

唐

河南鞏義市黃冶唐三彩窯址出土。

高16、口徑15厘米。

折沿，鼓腹，三蹄足，肩、腹貼塑花飾。器表飾黃、
白、藍三彩釉。

現藏河南博物院。

三彩模貼神獸三足鍑

唐

高15.5、口徑14.3厘米。

肩部分飾六片菩提葉模印貼花，腹部模貼相間的海馬和
海獅各三隻。

現藏江蘇省揚州市唐城遺址文物保管所。

南北朝至五代十國（公元四二〇年至公元九六〇年）

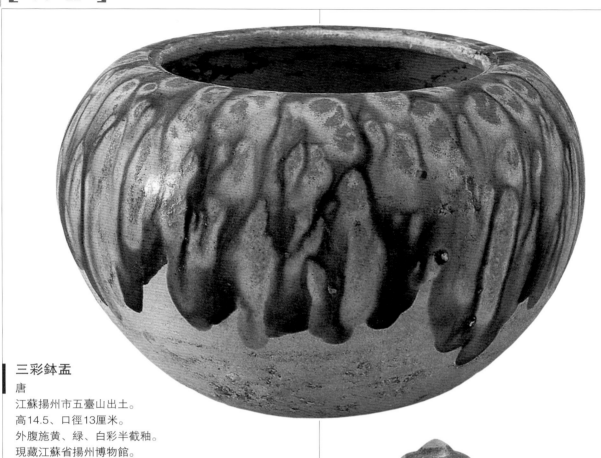

三彩鉢盂

唐

江蘇揚州市五臺山出土。

高14.5、口徑13厘米。

外腹施黄、綠、白彩半截釉。

現藏江蘇省揚州博物館。

三彩唾壺

唐

陝西西安市王家墳村唐墓出土。

高11.6厘米。

口沿外捲，鼓腹，圈足。肩部飾二道弦紋。

現藏陝西歷史博物館。

三彩盤

唐

陝西乾縣永泰公主墓出土。

高2.7厘米。

盤外壁施綠釉，內壁施黃、白、綠三色釉，

組合成花瓣形圖案。

現藏陝西歷史博物館。

三彩印花蓮葉雲雁紋三足盤

唐

高6.2、口徑28.6厘米。

施黃、綠、藍釉。盤心飾飛雁、蓮葉和雲紋。

現藏上海博物館。

三彩刻花三足盤

唐

高6、口徑27.7、足距17厘米。
盤心刻一團花，外環蓮蕾及荷葉各八組，
施黄、白、緑三色釉。
現藏故宮博物院。

三彩刻花三足盤内底

三彩印花飛鳥雲紋三足盤

唐

高6.4、口徑31.6厘米。

盤心飾花紋，裏圈爲六飛鳥，外圈飾六朵雲紋，足呈繩索式半環形。

現藏上海博物館。

三彩三足花瓣盤

唐

高6.6、口徑22.2、足距13.3厘米。

盤口作九花瓣式，盤心刻蓮花一朵，施黄、白、綠三色釉。

現藏故宫博物院。

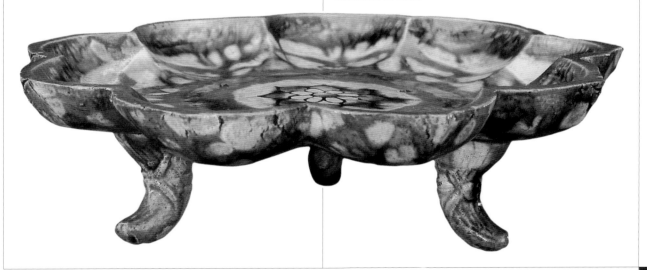

三彩刻花三足盤

唐

高5.7、口徑21.3、足距14.8厘米。

盤心刻一花蕊，外環一周蓮瓣紋，紋內刻花。

現藏故宮博物院。

三彩貼花六葉盤

唐

高9.5、口徑40.6厘米。

盤口作六葉式，盤心貼一花飾。

現藏日本東京國立博物館。

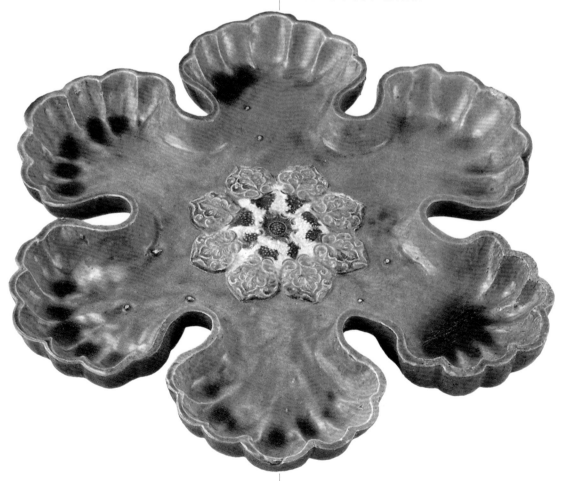

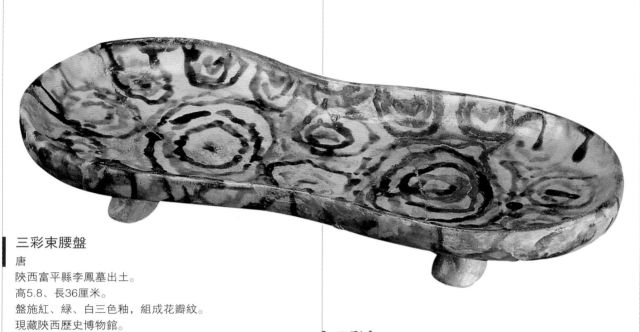

三彩束腰盤
唐
陝西富平縣李鳳墓出土。
高5.8、長36厘米。
盤施紅、綠、白三色釉，組成花瓣紋。
現藏陝西歷史博物館。

三彩盒
唐
陝西西安市韓森寨唐墓出土。
高6.7、口徑9.8厘米。
盒蓋飾花卉紋。
現藏陝西歷史博物館。

三彩碗

唐

陝西乾縣永泰公主墓出土。

高7.4厘米。

碗裏飾白、綠色釉相間的水波紋。

現藏陝西歷史博物館。

三彩鴛鴦尊

唐

河南新安縣十村出土。

高13.5、長29厘米。

鴛鴦呈浮游狀，曲頸，尾上翹。

現藏河南博物院。

三彩鳳首杯

唐

陝西西安市韓森寨唐墓出土。

高6.9、長13.6、口徑5.6厘米。

杯底塑成鳳首形，頂羽後捲，與杯口相連，

杯身飾花卉紋。

現藏陝西歷史博物館。

三彩象首杯

唐

陝西西安市中堡村唐墓出土。

高6.9厘米。

杯底塑成象首形，象鼻上捲，爲把手。

現藏陝西歷史博物館。

南北朝至五代十國（公元四二○年至公元九六○年）

三彩榻

唐

陝西富平縣李鳳墓出土。

高6.5、寬19.2、長26厘米。

榻面飾紅、白、綠色釉相間的雲氣紋。

現藏陝西歷史博物館。

三彩枕

唐

陝西西安市韓森寨唐墓出土。

高5.3、寬11.2厘米。

枕爲長方形，各面均飾花朵紋。

現藏陝西歷史博物館。

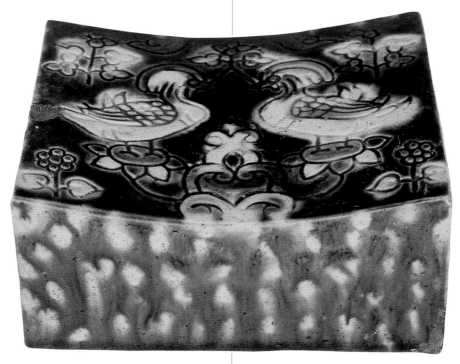

三彩鴛鴦紋枕

唐

河南洛陽市北邙山前李村唐墓出土。

高6、寬12.5、長10厘米。

枕面飾二隻鴛鴦在蓮池中嬉戲，側面飾斑點紋。

現藏河南省洛陽博物館。

三彩錢櫃

唐

陝西西安市王家墳村90號墓出土。

高13、寬16、長12厘米。

櫃面飾寶相花，櫃側面飾貼花獸面。

現藏陝西歷史博物館。

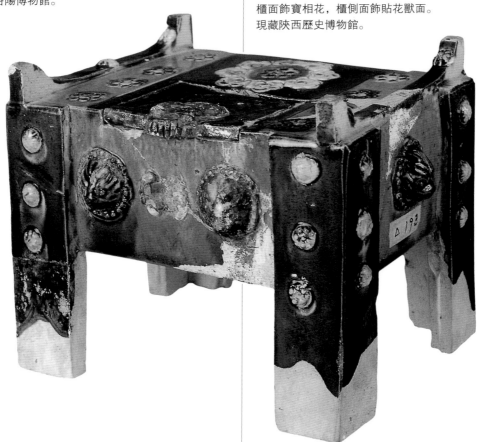

【 陶 器 】

南北朝至五代十國（公元四二〇年至公元九六〇年）

三彩燈

唐
河南洛陽市吉利區出土。
高46、口徑9.3、底徑23厘米。
底座上飾天王和獸面，燈柱似仿竹節，中
部爲蓮瓣。
現藏河南省洛陽市文物工作隊。

三彩假山

唐

陝西西安市中堡村唐墓出土。

高18厘米。

山巒起伏，靈芝、仙草長于山間，雄鷹落于山頭，
群山環繞一水潭。

現藏陝西歷史博物館。

陶透雕捲草紋棺

唐

新疆庫車縣麻札布坦古城遺址出土。

高21.5厘米。

器表覆深紅色陶衣。器外壁鏤刻兩層紋飾，上爲連續菱格紋和忍冬紋複合紋樣，下爲捲草紋。

現藏新疆維吾爾自治區博物館。

彩繪單耳罐

麴氏高昌

新疆吐魯番市阿斯塔那186號墓出土。

高24.5、口徑11.5厘米。

黑彩爲地，以深紅、橘黃、白、綠等色繪連續捲草、蓮瓣、圓點、弧綫等紋飾。

現藏新疆維吾爾自治區博物館。

彩繪陶三足釜

麴氏高昌

新疆吐魯番市阿斯塔那116號墓出土。

高23、口徑30.3厘米。

黑彩爲地，以白、綠、深紅色繪方格和圓點紋，
口沿和内壁塗深紅色。

現藏新疆維吾爾自治區博物館。

三彩熏爐

渤海國

黑龍江寧安市三陵渤海
國墓出土。

高18.1厘米。

子母口，直腹，圜底，三足外
撇。蓋上有四組鏤空熏孔。

現藏黑龍江省文物考古研究所。

三彩瓶

渤海國
吉林和龍市八家子鎮北大村渤海國墓出土。
高18.1厘米。
器表施綠、白、褐、黄色釉，器裏施淺黄、淺綠色釉。
肩部飾一周凸弦紋。
現藏吉林省延邊朝鮮族自治州博物館。

三彩虎枕

五代十國
陝西西安市黄雁村出土。
面長22、面寬10、高10厘米。
枕爲卧虎形，通體施紅、綠等色釉。
現藏陝西歷史博物館。

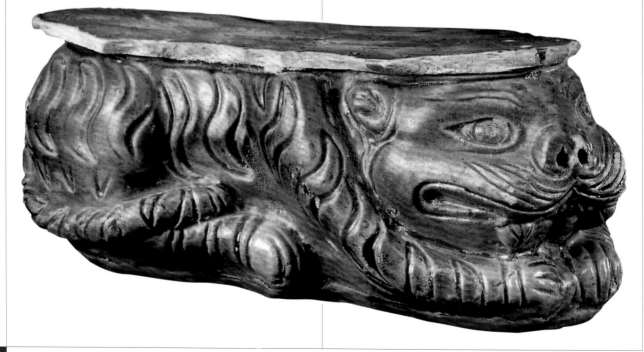

陶鹿紋穹廬式骨灰罐

遼

內蒙古巴林左旗哈達英格鄉哈達圖村墓葬出土。

高25.5、底徑31厘米。

圓壁穹頂，正中設帶軸單扇門，兩面各開一窗。

周壁及頂部刻十隻鹿。

現藏內蒙古自治區巴林左旗博物館。

白釉鐵鏽花雞冠壺

遼

高18厘米。

器身飾鐵鏽花紋，圈足底有小孔。

現藏遼寧省博物館。

白釉綠彩紐帶紋雞冠壺

遼

高37.8厘米。

紅胎，乳白釉，通體飾皮條皮扣紋。

現藏遼寧省博物館。

綠釉貼花净瓶

遼

北京密雲縣出土。

高24.1厘米。

通體施綠釉，肩部有流，貼塑一周印花紋的蓮瓣，其下是布滿瓶體的瓔珞紋。

現藏首都博物館。

緑釉刻花鳳首瓶

遼

内蒙古興安盟突泉郭家屯出土。

高37、口徑10.1、底徑6.9厘米。

通體施緑釉。荷葉形杯口，頸部飾鳳首，鳳首下飾數周弦紋，肩部劃羽狀紋，腹部劃牡丹花葉紋。

現藏内蒙古博物院。

緑釉鳳首瓶

遼

遼寧北票市水泉遼墓出土。

高41.3厘米。

通體施緑釉。荷葉形杯口，頸部飾鳳首，鳳首下飾兩周弦紋，頸與肩結合處飾一周柳葉紋，肩飾兩周弦紋。

現藏遼寧省博物館。

緑釉貼花鷄冠壺

遼

高29.5厘米。

壺身一面飾牡丹流雲紋,另一面飾蟠龍紋。

現藏遼寧省博物館。

緑釉劃花貼塑火珠雙孩鷄冠壺

遼

高26.5、腹徑17.6-8.1厘米。

塔式蓋，螺狀鈕，馬鞍形雙孔繫，繫上塑二人，

壺身貼塑火珠紋，四周飾火焰紋。

現藏遼寧省博物館。

綠釉鷄冠壺

遼

內蒙古奈曼旗沙力好來出土。

高25、口徑6厘米。

馬鞍形雙孔繫，壺身兩側飾皮條紋及針痕紋，壺身兩面壓劃捲草紋。

現藏吉林省博物院。

綠釉竹節柄劃花瓜棱形注壺

遼

高14、口徑4.5、底徑7.5厘米。

短流，雙環形繩繫，腹部有一竹節形柄。肩部飾弦紋及扇形紋，壺身四瓣棱形，上飾大小不等的扇形紋。

現藏故宮博物院。

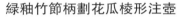

緑釉注壺温碗

遼

北京順義區木林鄉安辛莊遼墓出土。

注壺高18.4、口徑4、底徑8.5厘米，温碗高10.4、口徑
18、底徑11.4厘米。

注壺有寶珠鈕蓋，帶狀曲柄，管狀流。温碗爲瓜棱形。

現藏首都博物館。

黃釉貼瓔珞紋注壺

遼

高17.8、口徑3.4、底徑8.2厘米。

棱狀流，扁環把，肩部印貼葉紋兩周，腹部印貼五組
瓔珞紋。

現藏遼寧省博物館。

黃釉葫蘆形執壺

遼

內蒙古奈曼旗沙力好來出土。

高15、口徑3厘米。

器形如葫蘆，短流，仿皮條迴曲形把。外施黃色釉，
釉不及底。

現藏吉林省博物院。

黃釉劃花牡丹紋長頸瓶

遼

高36.3、口徑10.3厘米。

頸部飾弦紋，瓶身飾劃綫牡丹紋。

現藏遼寧省博物館。

黄釉穿帶扁腹壺

遼

遼寧法庫縣葉茂臺遼墓出土。

高27.3厘米。

方口扁腹，周邊有方繫可以穿帶。腹飾日芒紋。

現藏遼寧省博物館。

黃釉印花套盒（右圖）

遼

內蒙古翁牛特旗解放營子遼墓出土。

高21.5、長14.7厘米。

套盒五件，形制相同。盒呈雲朵狀，盒壁上下弦紋之間
模印大小寶相花構成的二方連續圖案。

現藏內蒙古自治區赤峰市博物館。

黃釉綠彩刻花蓮菊紋盤

遼

北京西城區甘家口出土。

高6、口徑25.6、底徑8.8厘米。

葵口，盤內心刻團花，有三個小支釘痕。

現藏首都博物館。

褐釉雞冠壺

遼

北京通州區侉店遼墓出土。

高24.5、口徑5厘米。

塔式蓋，凹底。器身飾有仿皮囊壺的縫製痕紋。

現藏首都博物館。

褐釉猴形蓋鈕馬鐙壺（右圖）

遼

北京順義區木林鄉安辛莊遼墓出土。

高23.3、口徑5.6厘米。

壺蓋上置一坐猴，壺身飾仿皮囊壺縫製痕紋
和裝飾紋飾。

現藏首都博物館。

三彩印花瓶

遼

吉林輝南縣輝發城出土。

高23、口徑4厘米。

通體施黃、綠、藍、褐色釉。器表模印仙人圖、
纏枝花和幾何圖案。

現藏吉林省博物院。

三彩龍紋執壺（右圖）

遼

內蒙古赤峰市松山區徵集。

高18.8、口徑3.5、底徑7.8厘米。

壺頸和肩部印有纏枝花卉和寶相花紋，腹部刻劃昂首相對的蟠龍，四周襯海水波浪紋。

現藏內蒙古自治區赤峰市文物商店。

三彩釉印團鳳紋注壺

遼

高18、口徑2.9厘米。

長直口，肩部置短流，另一側置扁曲把。口沿下印兩周弦紋和一周仰蓮瓣紋，頸基處印仰、覆蓮瓣紋兩周，肩部印蝴蝶和兩組團花，腹部印四組團鳳紋，脛部印一周仰蓮瓣紋。

現藏遼寧省博物館。

三彩水波流雲紋扁注壺

遼

高21厘米。

壺身兩側花紋相同，印一朵大蓮花，花蕊飾太極圖案，

周圍襯水波如意流雲紋。

現藏遼寧省博物館。

三彩摩羯形壺

遼

内蒙古科爾沁左翼中旗徵集。

高22.3、長30、足徑9厘米。

摩羯昂首擺尾，口含一珠，穿孔爲流，魚身雕飾魚鱗。

現藏内蒙古自治區科爾沁博物館。

三彩鴛鴦形壺

遼

内蒙古赤峰市松山區徵集。

高20、口徑8.2、底徑9厘米。

鴛鴦嘴部爲流，背上有喇叭狀五瓣花形壺口，口下部爲
水波紋握柄。

現藏内蒙古自治區赤峰市博物館。

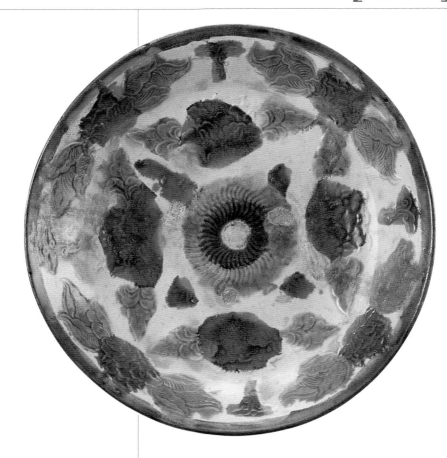

三彩印花牡丹菊紋盤
遼
高5.3、口徑25.3厘米。
盤心爲菊花圖案，周圍飾八朵對
應牡丹花，兩花間飾捲雲紋。
現藏北京遼金城垣博物館。

三彩碟
遼
高3.1厘米、口徑12.2厘米。
內壁兩道弦紋內施黃釉，碟心飾
一兔，眼施褐彩，有點睛之妙。
現藏故宮博物院。

遼
北
宋
金
（
公
元
九
一
六
年
至
公
元
一
二
三
四
年
）

三彩印花方盤

遼

高2、口邊長12厘米。

盤內裏每邊兩開光，開光內各飾一花朵，兩側飾對稱捲雲紋。盤心模印一朵碩大的團菊花。

現藏故宮博物院。

三彩印牡丹花八方盤

遼

口徑26.4厘米。

器呈八角形，內底中心印四葉牡丹花，周圍印兩層雙葉牡丹花。

現藏遼寧省博物館。

三彩印花牡丹紋硯
遼
遼寧新民市巴圖營子出土。
高8.4、口徑21.1厘米。
硯、洗上下組合。外壁印花。
現藏遼寧省博物館。

三彩舞獅八角形硯
遼
內蒙古寧城縣小劉仗子出土。
高9.5、口徑25厘米。
八角形外壁淺浮雕馴獸、舞獅圖。上面爲硯，下面爲洗。
現藏內蒙古博物院。

三彩八角形硯

遼

内蒙古寧城縣頭道營子鄉埋王溝墓葬出土。

高12.6、直徑22厘米。

硯與洗對扣成盒形，八側面浮雕花草紋。

現藏内蒙古文物考古研究所。

三彩舍利匣

北宋

河南新密市法海寺塔地宫出土。

高46.6厘米。

器表施褐、黄、绿三彩釉。匣身有"咸平元年
（公元998年）十一月三日"题记。

现藏河南博物院。

綠釉獅蓋香爐

北宋

安徽宿松縣北宋墓出土。

高32厘米。

蓋頂飾一張口翹尾的雄獅，爐身飾四層仰蓮。

現藏安徽省博物館。

琉璃塔式罐（右圖）

北宋

山西太原市小井峪出土。

高77厘米。

罐豐肩鼓腹，上有一寶塔形高蓋，下置一鏤空圓形高足束腰座，座緣作欄杆望柱，腰部貼塑四個曲背雙手叉腰作承托狀的力士。罐蓋及座緣施棕黃色釉，力士及座足施綠釉。

現藏山西博物院。

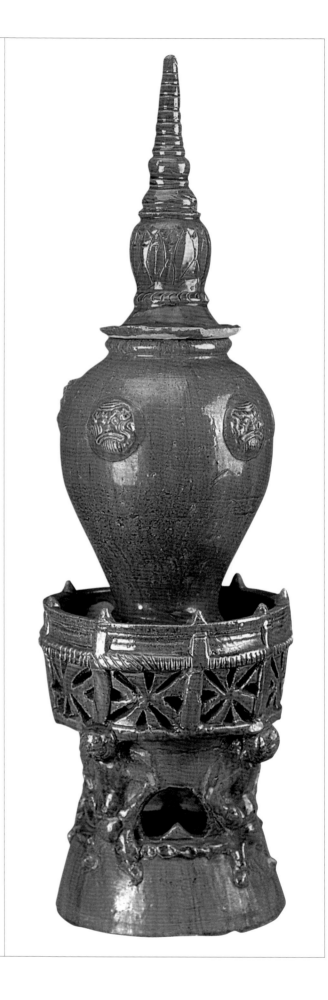

三彩刻花枕

北宋

高12.4厘米。

枕面施褐黄、緑、白三彩，爲當陽峪窯三彩精品。

現藏廣東省廣州南越王墓博物館。

三彩刻花枕

北宋

高10厘米。

枕面八方形，中心刻劃折枝牡丹，施黄、緑、褐三彩。

現藏故宫博物院。

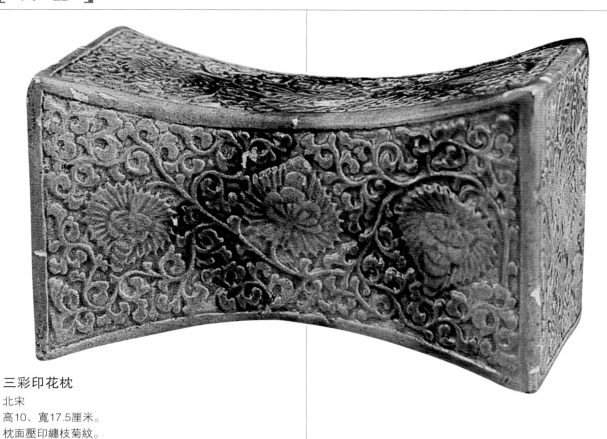

三彩印花枕
北宋
高10、寬17.5厘米。
枕面壓印纏枝菊紋。
現藏天津博物館。

三彩聽琴圖枕
北宋
河南濟源市勛掌村出土。
高16、寬25、長63厘米。
枕面飾聽琴圖，四角飾嬰戲圖，側面飾蓮紋。
現藏河南博物院。

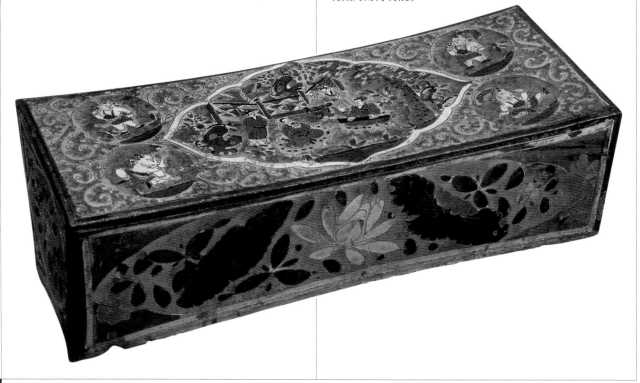

三彩黑地枕
北宋
高9.9厘米。
面呈梯形，圓角。中心開光黑地，主體繪黃、綠、褐三
彩鴛鴦戲水圖。
現藏故宮博物院。

三彩貼花豆
北宋
高13.9厘米。
腹部貼飾大小三層花瓣，器身施黃、綠、白三色釉。
現藏故宮博物院。

遼北宋金（公元九一六年至公元一二三四年）

三彩瓶

北宋

高30、口徑9厘米。

翻轉式五瓣花口，長頸，鼓腹，喇叭足。腹飾夾竹桃紋。

現藏首都博物館。

陶仿古玉壺春瓶

金

内蒙古巴林左旗林東鎮出土。

高24.5、口徑7.7厘米。

腹部飾以蟠龍紋、回紋等紋飾。

現藏内蒙古博物院。

綠釉獅形枕

金

高13、寬16、長28.2厘米。

枕爲臥獅形，獅眼圓睜，獅尾回捲貼身。

現藏廣東省廣州南越王墓博物館。

三彩荷葉童子枕

金

河南上蔡縣二郎臺出土。

高15、長33厘米。

枕座爲一孩童趴臥，孩童側首曲腿，肩上有一花朵。

現藏河南博物院。

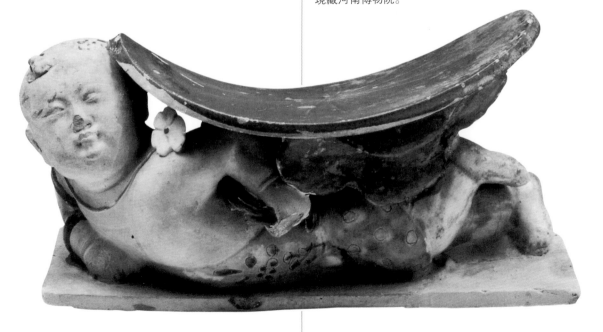

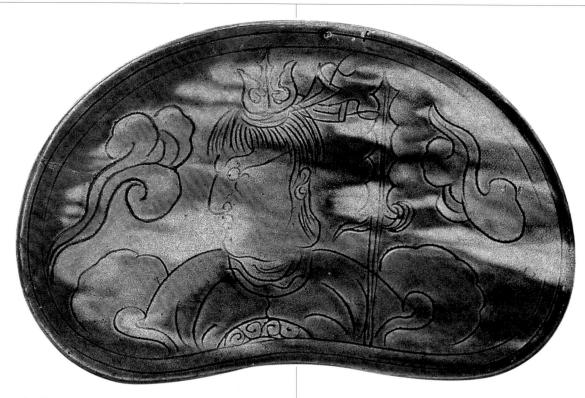

三彩劃花人物腰形枕

金

高9、寬26.1、長15.9厘米。

枕呈腰形。枕面劃一持戟武士，周圍襯以雲氣紋。

現藏廣東省廣州南越王墓博物館。

三彩剔地刻嬰孩紋三瓣花形枕

金

高8.2、寬26.2、長11.9厘米。

枕面雙綫框內剔劃哪吒，左手持風火輪，右手持飄帶。
側面模印菱格錦紋。

現藏廣東省廣州南越王墓博物館。

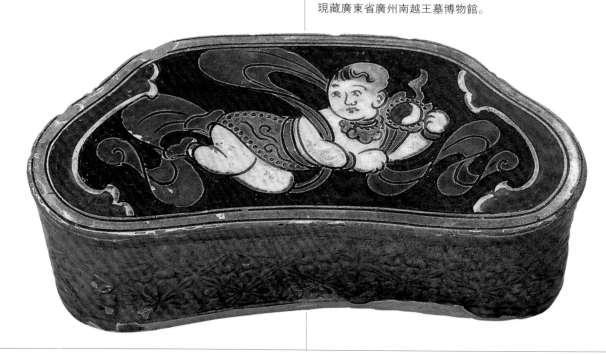

三彩嬰戲紋長方枕

金

長45厘米。

采用刻剔與填彩結合的方法繪出嬰兒戲蓮，分別在白、
綠地上施紅綠彩。

現藏廣東省博物館。

三彩雕花劃荷扇面枕

金

河北磁縣觀臺鎮出土。

高11.3厘米，面長35、寬17.9厘米。

枕呈扇面形。枕面框綫內刻荷花和葉莖，後壁邊框內堆
塑纏枝花卉，餘爲素面。

現藏河北省邯鄲市博物館。

[陶 器]

遼
北
宋
金
（
公
元
九
一
六
年
至
公
元
一
二
三
四
年
）

三彩龜形壺

金

山東濟寧市出土。

高11.8、長28.5厘米。

龜嘴爲壺口，尾部做成圈足，可豎立。黄、褐、綠彩
繪甲紋。

現藏山東省濟寧市博物館。

三彩劃龍紋盤

金

高2.3、口徑17.3、底徑12厘米。

盤心刻繪一行龍，張口，伸舌，凸目，龍身盤曲。

現藏故宮博物院。

三彩劃花鷺蓮紋碟

金
高2.2、口徑18.2厘米。
花瓣式口，盤內劃水塘，水塘中
一隻鷺鷥穿游于荷蓮中。
現藏故宮博物院。

三彩劃水草魚紋碟

金
高3、口徑15.2、底徑11厘米。
盤心刻繪水草游魚圖案。
現藏故宮博物院。

三彩釉熏爐

元

內蒙古呼和浩特市出土。

高50、口徑24.3厘米。

爐蓋上塑一虎鈕，下為荷葉托飾，爐腹上
飾游龍戲珠及葵花紋。

現藏內蒙古博物院。

琉璃三彩龍鳳紋熏爐

元

北京西城區德勝門外出土。

通高37、口徑22厘米。

爐蓋鏤雕成起伏峰巒，其上透雕一昂首張
口的黃彩蟠龍。爐身浮雕花枝和雲朵。
腹部一側雕昂首展翅飛鳳，一側雕回
首蟠龍。通體施黃、藍、綠色釉。
現藏首都博物館。

珐華人物紋罐

明

山西長治市羅家莊出土。

高43厘米。

罐腹部鏤雕騎馬出行圖。

現藏山西省長治市博物館。

珐華花鳥紋罐

明

高44.5厘米。

頸部飾雲紋，肩部飾如意雲紋，腹部飾花鳥紋。

現藏日本大阪市立東洋陶瓷美術館。

琺華八仙紋罐

明

北京朝陽區太陽宮出土。

高43.8、口徑22.6厘米。

口沿飾八寶紋，肩部爲瓔珞紋，腹部飾八仙過海圖。

現藏首都博物館。

珐華葫蘆瓶

明

高23厘米。

上下葫蘆球壁上均飾有牡丹花瓣紋。

現藏山西博物院。

珐華蓮池鴛鴦紋瓶

明

高27.1厘米。

瓶身飾鴛鴦穿游于蓮池中。

現藏日本東京伊勢文化基金會。

珐華堆貼菊花耳瓶

明

高43、口徑10.1、足徑15.9厘米。

頸部兩側堆貼菊花形耳，器身飾折枝菊花及飛鳥紋飾。

現藏故宮博物院。

珐華描金雲龍貫耳瓶

明

高245、口徑55、底徑99厘米。

雙貫耳，頸部飾雲氣紋，腹部飾龍紋。口沿處書"大明嘉靖年製"款。

現藏上海博物館。

三彩釉鴨形香熏

明

江西景德鎮市珠山出土。

高25.3厘米。

方形器座上立一鴨，昂首鳴叫，鴨身分上下兩截，
上爲蓋。底書"大明成化年製"款。

現藏上海博物館。

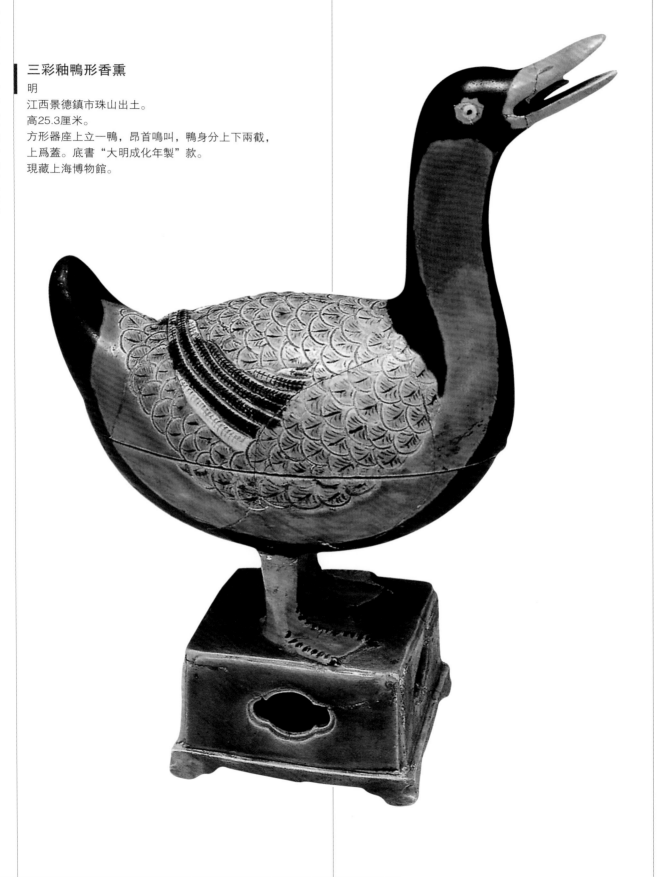

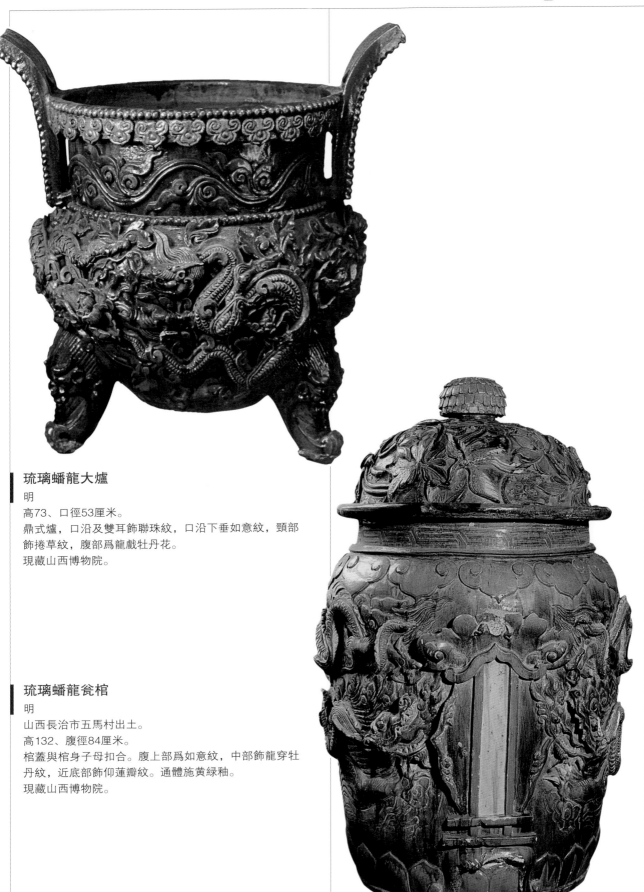

琉璃蟠龍大爐

明

高73、口徑53厘米。

鼎式爐，口沿及雙耳飾聯珠紋，口沿下垂如意紋，頸部
飾捲草紋，腹部爲龍戲牡丹花。

現藏山西博物院。

琉璃蟠龍瓮棺

明

山西長治市五馬村出土。

高132、腹徑84厘米。

棺蓋與棺身子母扣合。腹上部爲如意紋，中部飾龍穿牡
丹紋，近底部飾仰蓮瓣紋。通體施黄緑釉。

現藏山西博物院。

石灣窯翠毛釉撇口瓶
明
廣東大埔縣湖寮鎮吳六奇墓出土。
高15、口徑9.8厘米。
瓶身布滿絲縷紋。
現藏廣東省博物館。

石灣窯翠毛釉梅瓶
明
高25、口徑3.8厘米。
褐色胎，瓶身施藍釉，布滿白色絲紋。
現藏廣東省博物館。

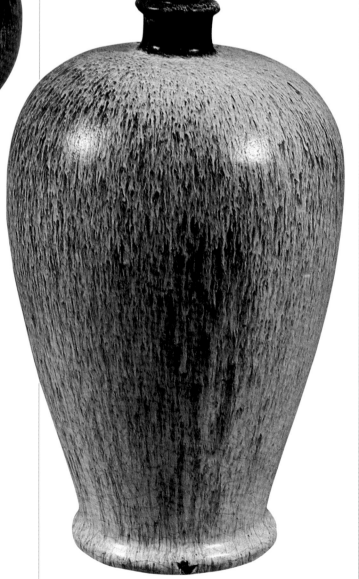

紫砂鼎足蓋壺
明
福建漳浦縣盧維禎墓出土。
高11、口徑7.5厘米。
壺通體布滿梨皮狀小顆粒，底刻陰文楷書款
"時大彬製"。
現藏福建省漳浦縣文化館。

紫砂六方壺
明
江蘇江都市丁溝鄉洪飛村鄭王莊明墓
出土。
高11厘米。
壺身六方形，直口，斜折肩，六棱形曲流，五棱
形執，內凹底。底刻陰文楷書款"大彬"。
現藏江蘇省揚州博物館。

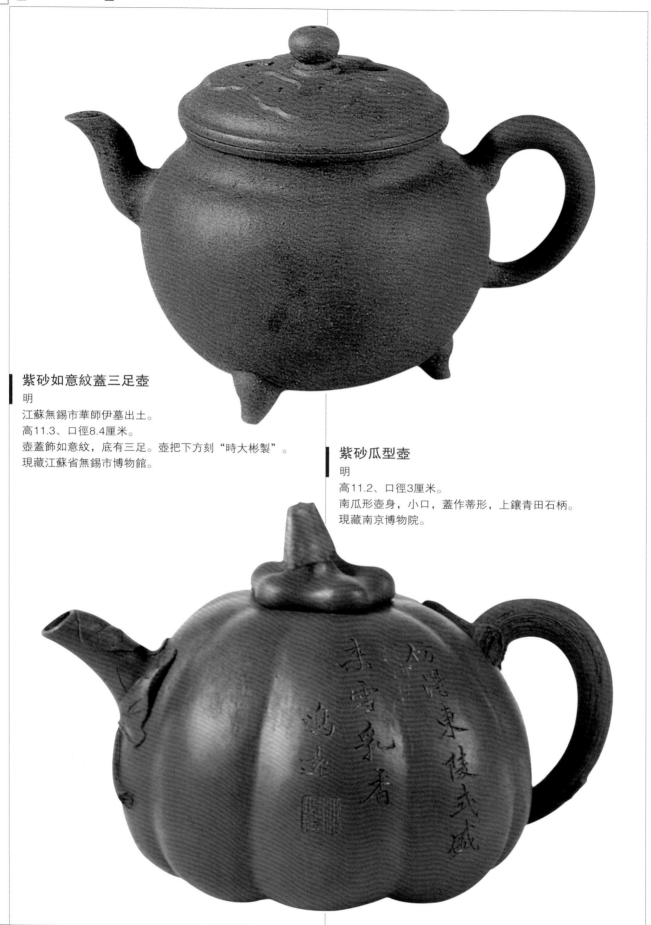

紫砂如意紋蓋三足壺

明

江蘇無錫市華師伊墓出土。

高11.3、口徑8.4厘米。

壺蓋飾如意紋，底有三足。壺把下方刻"時大彬製"。

現藏江蘇省無錫市博物館。

紫砂瓜型壺

明

高11.2、口徑3厘米。

南瓜形壺身，小口，蓋作蒂形，上鑲青田石柄。

現藏南京博物院。

紫砂印花烹茶圖壺

清

高15.6、口徑4.8厘米。

壺三面鐫刻乾隆御製詩，詩後篆刻陽文"乾隆"二字
章式款。

現藏故宮博物院。

紫砂八卦紋蓋束竹段壺

清

高8.5、口徑9.6厘米。

壺蓋鈐瓜子形陽文楷書小印"大亨"。

現藏南京博物院。

紫砂包錫壺
清

高8.4厘米。

壺爲紫砂胎，外包錫皮。器身一側刻牡丹紋，另一側
刻隸書"微潤欲沾，雨前吐尖。己丑小春月石梅"，
壺内底鈐"楊彭年製"陽文篆書印款。

現藏南京博物院。

紫砂象生瓜形壺
清

高11.3厘米。

壺腹部陰刻楷書"仙家花果四
時同"，署"雀邨"，并鈐
"陳"、"鳴遠"一圓一方
二陽文篆書印。

現藏廣東省博物館。

紫砂桃形杯

清

杯高7厘米。

杯表鐫刻詩句，款署"聖思"，鈐"聖思氏"

篆書陽文方印。

現藏南京博物院。

紫砂竹笋形水盂

清

長18、寬5.5厘米。

笋根部有陽文篆書"陳鳴遠"小方印。

現藏南京博物院。

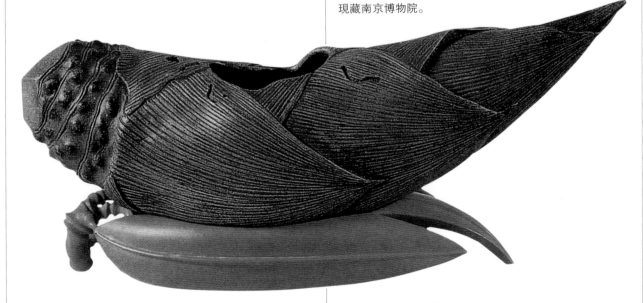